Editing et mise en page :
Jacques van Geen

ISBN : 9782354860356
Dépôt légal : avril 2009
Imprimé en Italie
© Tourbillon, pour la marque Tornade

Pierre Varrod

BLA 100% BLA

TORNADE

AVERTISSEMENT

SACHE, LECTEUR, que tous les trésors que tu vas découvrir — et livrer aux foules pantelantes d'admiration devant ta science et ton esprit — ont coûté force temps, recherches & lectures à l'auteur de cet ouvrage. Pour les trouver, les vérifier, et te les livrer de telle sorte que tu en goûtes toute la saveur, parfois amère, il ne s'est pas épargné. Si tu t'en sers à bon escient, ils seront les émaux, les camées, les joyaux qui feront ressortir l'éclat de tes paroles. Prends garde de ne les faire parler à tort, toutefois, et souviens-toi de l'adage : *Rien n'est si trompeur que les faits, sauf, peut-être, les chiffres.* Fais-en bon usage, et tu brilleras, à ton tour, des mille feux dont le beau parleur, toujours, resplendit.

20 millions d'Australiens pour 180 millions de moutons

L'Australie est peu densément peuplée : 3 habitants par kilomètre carré. C'est trente fois moins que la France. Au total, à peine 20 millions d'habitants, pour un pays-continent grand comme quinze fois l'Hexagone.

Mais les moutons compensent. Ils étaient 180 millions en 1990… mais l'arrivée du tee-shirt chinois les a tués : la laine régresse au profit du coton dans notre habillement ! Il reste encore 90 millions de moutons en Australie, soit 4 par habitant.

Nos grands moulins à vent ne tournent pas vite : deux secondes pour un tour. Mais, à ce rythme, les extrémités des pales parcourent un chemin gigantesque : leur vitesse atteint 200 kilomètres par heure. Une profonde dépression se forme au passage de l'hélice. Les chauves-souris

À 200 km/h, l'éolienne tue les chauves-souris sans les toucher.

qui passent à proximité meurent, sans trace de choc, sous l'effet des hémorragies internes provoquées par cette brutale chute de pression.

Les Russes
et les Chinois,
champions mondiaux
de la cigarette,
fument moitié plus
que les autres.

Qui fume le plus ? L'Européen et l'Américain moyens sont distancés par le Chinois moyen, et surtout par le Russe. Comme la Chine compte 1,4 milliard d'habitants, elle est le premier consommateur de tabac au monde : elle consomme, en masse, le tiers du tabac mondial. La Chine est aussi le premier producteur mondial. Mais, pris individuellement, c'est le Russe qui nous bat tous : la moitié de la population russe fume, alors que c'est moins du tiers ailleurs. Au fait, c'est le Russe qui meurt le plus tôt... le plus souvent d'un cancer du poumon !

Les drogues, en Russie,
tuent chaque année près
de 30 000 personnes :
c'est 8 fois plus que la moyenne
de l'Union européenne.

En Russie, 90 % des toxicomanes
consomment de l'héroïne
provenant d'Afghanistan.

3 petits-beurre et cigarettes par jour, c'est la consommation du Français moyen.

En France, il s'est fumé autant de cigarettes en 2008 que les années précédentes – 54 milliards –, malgré la loi sur l'interdiction de fumer dans les lieux publics. Les Français fument dehors, mais grillent quand même, en moyenne, leurs 3 cigarettes quotidiennes.

Les Français absorbent chaque jour leur dose de **3 petits-beurre.** Ces gâteaux de longue conservation, avec leur pâte cuite deux fois, à l'origine de leur appellation de « bis-cuit », ont été inventés pour les marins au long cours. Ils continuent à se vendre aux sédentaires que nous sommes (nous naviguons sur... Internet). Le plus connu des petits-beurre était d'ailleurs fabriqué près d'un des principaux ports français : les « Lefèvre-Utile » – alias les « LU » – sont d'origine nantaise.

Pour
10 francs,
t'as un Picasso (un vrai !)

Vous êtes fou de peinture, vous êtes venu habiter à Paris, capitale des arts – on est en 1905 –, et vous marchez à Montmartre, rue des Martyrs. En vitrine, un petit tableau. Vous l'achetez : dix francs. Le soir, vous dînez au *Lapin Agile*, estaminet installé dans une autre rue en pente sur la colline : là, vous rencontrez le jeune peintre – 25 ans – à l'accent espagnol marqué. Il est tellement heureux d'avoir trouvé un amateur qu'il en tire des coups de revolver au plafond ! Un Picasso pour 10 francs, oui, mais c'est le premier ! L'heureux acheteur, Wilhelm Ude, était collectionneur et marchand d'art.

Plus de 99 % des premiers romans publiés chez Gallimard sont arrivés par la Poste.

Le futur prix Nobel, J.-M. Gustave Le Clézio, lui-même, envoya son premier manuscrit par courrier, en 1963.

Pour tenir compte
d'une inflation explosive,
le Zimbabwe – ruiné par son
dictateur – a introduit,
fin 2008, les billets de

100 MILLIONS DE DOLLARS

zimbabwéens, allégeant
les brouettes (de billets)
pour faire les courses.
Pour acheter du papier-
toilette, il fallait apporter
autant de papier en billets
que les rouleaux que l'on
allait acquérir.

En France,
en semaine,
**34 % des femmes
et 45 % des hommes
passent plus de
2 heures par jour
sur Internet.**
Cette activité
n'existait quasiment
pas il y a dix ans.

Nous parlons avec
2 000 mots différents
dans la vie de tous les jours.
Nous en comprenons
environ 10 000.
Mais le Petit Larousse décrit
60 000 mots.
Pour qui ?

**D'après un récent test de dictée, les élèves
de collège accusent un retard de deux ans
sur la génération qui a vingt ans de plus :
un élève de CM2 d'il y a vingt ans était
au niveau d'un élève de 5e d'aujourd'hui.**

L'Europe compte 30 % de soldats de plus que les États-Unis.

L'Europe dispose de 10 000 chars et de 2 500 avions de combat. Et elle compte 2 millions de soldats : 500 000 de plus que la super-puissance américaine. Mais l'Europe, pas vraiment intégrée, gaspille l'essentiel de ses forces et des 200 milliards d'euros qu'elle dépense chaque année pour sa défense. Selon Nick Witney, l'ancien président de l'Agence européenne de défense, 70 % de ses forces terrestres sont incapables d'opérer en dehors des frontières nationales.

*En une minute, les pays
développés voient naître 27 bébés
et mourir 23 personnes. Leur
accroissement naturel est infime :
4 personnes de plus par minute.*

En une minute, 264 naissances

*Dans les pays en voie de développement,
chaque minute voit 237 naissances et 85 décès.
Le solde est de 152 personnes de plus, chaque minute.*

Les populations qui vont progresser le plus vite dans les 40 prochaines années sont celles de pays africains : Ouganda, Niger, Burundi, Liberia, Guinée-Bissau.

et 108 décès ont lieu sur Terre

Le taux d'accroissement naturel des pays en voie de développement est vingt fois plus important que celui des pays riches.

La Terre compte 30 000 espèces d'animaux dotés de quatre pattes et d'une colonne vertébrale.

L'homme en est le premier prédateur : lui-même n'a pas de prédateur.

En France,

1 couple sur 7

consulte pour infertilité.

Le succès des méthodes

de procréation assistée

n'est pas garanti, mais,

en fin de compte,

1 bébé sur 40

est issu d'une fécondation

in vitro. Chaque jour, naissent

50 bébés qui doivent la vie

à l'assistance médicale

à la procréation.

L'espérance de vie mondiale était de 45,1 ans en 1950. Elle atteindra 67,3 ans en 2010, soit 22 ans de plus qu'en 1950. Elle devrait grimper à 75,7 ans en 2050. Elle devrait ainsi presque doubler en un siècle.

EN 1950, L'ÉCART D'ESPÉRANCE DE VIE ÉTAIT DE 31 ANS ENTRE L'AFRIQUE ET L'AMÉRIQUE DU NORD. CET ÉCART SE RÉDUIT : IL DEVRAIT TOMBER DE 26 ANS ACTUELLEMENT À 17 ANS EN 2050.

Certains États africains, particulièrement touchés par le sida ou des conflits, voient l'espérance de vie reculer, depuis vingt ans, tels l'Afrique du Sud qui perd 11 ans, le Swaziland qui en perd 18 et le Lesotho qui en perd 19.

La Chine et l'Inde dépassent largement le milliard d'habitants. Très loin derrière viennent les États-Unis, avec 300 millions d'habitants.

Le 5ᵉ pays du monde par ordre numérique, ce sont les migrants qui le forment.

Puis l'Indonésie, avec ses 220 millions d'habitants. Mais le 5ᵉ pays ? Ce sont les migrants : on estime qu'ils sont quelque 190 millions. « Immigrés » légaux ou illégaux, « travailleurs importés », réfugiés politiques... Leur nombre augmente depuis quarante ans. Ils représentent 3 % de la population du globe, traversant les frontières des pays et des continents.

Au hit parade mondial, les trois pays qui reçoivent le plus de migrants par rapport à leur population sont situés dans le golfe Persique : le Qatar compte 80 % d'immigrés, les Émirats arabes unis, 70 %, et le Koweït, 60 %.

L'argent transféré
par les migrants
partis travailler
aux États-Unis
représente
la deuxième source
de devises du
Mexique, après
le pétrole, mais
avant le tourisme.

La Californie est l'État le plus peuplé des États-Unis :
36 millions d'habitants. Si l'on tient compte de
leur dynamique, la Californie aura rattrapé tous les pays
d'Europe dans 50 ans. Elle est moins peuplée que l'Italie
et que l'Espagne, mais elle a gagné 10 millions d'habitants
en 20 ans. Et si l'on compare les poids économique,
les classements changent dès aujourd'hui. Le PIB (produit
intérieur brut) de la Californie dépasse ceux de l'Espagne,
de l'Italie. Il atteint presque les PIB chinois et français.

Par son PIB, la Californie est le 7e pays du monde.

Le centre du monde se déplace : d'ici 30 ans, le produit intérieur brut des 5 premiers pays occidentaux (États-Unis, Japon, Allemagne, France, Royaume-Uni) sera dépassé par celui des 4 « BRIC » (Brésil, Russie, Inde, Chine).

La superficie de la Chine est de :

La superficie des États-Unis est de :

La superficie de l'Inde est de :

La superficie du Brésil approche :

10 millions de km²...

... Pour arriver à ce résultat,
il faut cumuler les superficies
de tous les pays d'Europe !

Dans l'Union européenne de 2007, les demandes d'asile n'émanent que marginalement de l'Afrique. Les demandeurs les plus nombreux sont irakiens. Ils sont suivis des Russes, des Pakistanais et des Serbes.

Le pays d'Europe qui a reçu le plus grand nombre de demandes d'asile en Europe n'est ni la France, ni l'Allemagne, ni le Royaume-Uni (qui ont reçu entre 27 000 et 29 000 demandes). Le pays le plus désiré est la Suède, avec 32 500 demandes.

Près d'un Malien sur quatre émigre à l'étranger. Sont-ils en France, sont-ils en Europe ? Pas du tout. L'Europe est-elle menacée d'une « invasion » de travailleurs maliens ? En fait, ce sont surtout les pays voisins du Mali qui accueillent ces migrants. Sur les 12 millions d'habitants que compterait le Mali, il y en a effectivement 4 millions qui vivent hors des frontières du pays. Près de 90 % d'entre eux s'en vont vivre dans d'autres pays d'Afrique. 200 000, soit 5 % seulement, rejoignent l'Europe.

En France, près de 1 SDF sur 3 est un salarié ou un retraité.

1 SDF sur 7

était une femme en 1999,

contre 1 sur 5 aujourd'hui.

L'égalité hommes-femmes

progresse plus vite

par le bas.

À Paris, la première peur est celle de perdre un être cher

(23 % des « suffrages »). La deuxième : perdre ses facultés intellectuelles (16 %). Arrive ensuite la peur de perdre son autonomie suite à une maladie ou un accident (15 %).

À New York, on a d'abord peur de devoir réduire son train de vie (17 %),

avant d'être victime d'une attaque terroriste (16%), puis de voir éclater une guerre (15 %).

À Tokyo, la peur d'un séisme **ou d'une catastrophe naturelle** reste la première préoccupation (16 %).

À Pékin, la peur d'être victime d'une agression ou d'un vol arrive en tête du classement (16 %).

Le personnage de série télé

auquel s'identifient le plus d'hommes (26 %) est celui de

Dr House.

Les femmes s'identifient plutôt à

Rachel,

dans la série *Friends*.
Du moins, 20 % d'entre elles !

À UNE SEULE

Le 16 janvier 1793, aux Tuileries, le procès
de Louis XVI s'achève. Le roi est reconnu coupable
de « conspiration contre la liberté publique et la sûreté
générale de l'État ». On vote ensuite sur la peine
à appliquer. À une voix près, les Révolutionnaires,
dont le frère du roi en personne, votent la mort
de celui qu'ils appellent Louis Capet. Le préfet Fouché
hésite toute la nuit : il cherche comme d'habitude
où se situera la majorité, et veut voter comme elle.
À la fin de la nuit, il pense que ce sera la mort.
Il vote pour, et sa voix fait la majorité.

VOIX PRÈS...

En 1871, Napoléon III abdique.
L'héritier du trône fait échouer les projets
de restauration de la monarchie en se cabrant sur la couleur
du drapeau… En attendant un candidat plus conciliant,
on envisage de mettre en place un chef de l'État transitoire.
L'Assemblée nationale examine, début 1875, des projets de lois
constitutionnelles. Le 30 janvier, un député introduit
un amendement suivant lequel le président de la République
serait élu, pour sept ans, par le Sénat et la Chambre des députés.
Le soir, la proposition est adoptée avec une voix de majorité…
La IIIe République est née.

Le plus long vol plané d'un avion de ligne a duré 20 minutes,
avant un atterrissage sans moteur.

En août 2001, un Airbus qui traversait l'Atlantique avec 310 personnes à bord s'est posé sans moteur aux Açores, après une « glissade » de 120 km.

Une fuite de kérosène indétectable a poussé les pilotes à transvaser le carburant pour rééquilibrer les réservoirs, vidant en fait les réservoirs de l'avion. Les moteurs se sont arrêtés, et l'avion a plané. Il est arrivé trop vite sur la piste, malgré des S pour se ralentir à la fin de la descente. Heureusement, la piste, un terrain militaire, faisait 4 km de long. Freins bloqués, tous les pneus ont éclaté, mais l'avion s'est arrêté à temps.

Le marché des téléchargements sur les téléphones mobiles a commencé avec les sonneries personnalisées. Il a été récemment dépassé par les jeux. Il s'est vendu plus d'un million de jeux chaque mois en France en 2008, au prix de 4 euros. L'innovation est nécessaire, au moins pour adapter la « jouabilité » à la taille de l'écran, microscopique par rapport à tous les autres supports.

Or les deux jeux les plus téléchargés sur les téléphones portables sont Tetris et le Monopoly.

Dans un monde où les jeux se renouvellent sans cesse, ils comptent parmi les plus vieux : le Monopoly est octogénaire, et Tetris est un succès des années 1980, né sur les Game-Boys Nintendo.

70 % des Britanniques contournent l'échelle installée par un chercheur pour compter les superstitieux.

Pourtant, si on les interroge sans poser l'échelle, seuls **12 % déclarent qu'ils éviteraient de passer dessous.**

Le commerce de détail américain estime à 900 millions de dollars les pertes de chiffre d'affaires dues à la réticence des consommateurs à acheter lors des vendredis 13. De même, un grand nombre de jours d'hospitalisation seraient gaspillés, toujours aux Etats-Unis (mais les autres pays n'ont pas vérifié) : beaucoup de patients refusent de sortir un vendredi 13, jour considéré comme risqué.

UN CHEVEU D'HOMME EUROPÉEN NE PEUT PAS DÉPASSER UNE LONGUEUR DE 36 CENTIMÈTRES.

Un cheveu de type européen pousse d'1 cm/mois, 1,5 cm/mois au plus. Le cheveu de type asiatique pousse plus vite : environ 1,5 cm/mois, contrairement au cheveu de type africain : environ 0,8 cm/mois.

Mais les cheveux ne sont pas éternels. Le cycle de vie du cheveu masculin varie entre 2 et 4 ans. Il tombe ensuite, remplacé par un nouveau cheveu. (Au bout de quelques cycles, il n'y a plus de remplaçant... La calvitie approche !) Un homme européen dont le cheveu pousse de 1 cm/mois pendant 3 ans ne pourra voir ses cheveux dépasser 36 cm.

UN CHEVEU DE FEMME PEUT DÉPASSER UN MÈTRE DE LONGUEUR.

Les cheveux des femmes poussent à la même vitesse que ceux des hommes, mais leur cycle de vie est bien plus long que celui du cheveu masculin : de 4 à 7 ans. Une femme européenne dont le cheveu pousserait de 1 cm/mois sur 7 ans pourrait voir ses cheveux atteindre 85 cm. Quant aux cheveux d'une femme asiatique qui poussent de 1,5 cm par mois, leur longueur maximale serait de 1,25 m.

Les ongles poussent de 4 cm [...] en moyenne. Ils poussent to[...] long de la vie, contraire[...] aux cheveux. Ceux des [...] poussent deux fois plus [...] que ceux des pieds.

Chez les droitiers, l'ongle[...] du pouce droit pousse plus vite[...] que le gauche... et *vice versa*[...] Pourquoi ? Peut-être parce que[...] la main dont on se sert le plus[...] reçoit davantage de sang, qui[...] apporte les éléments nutritifs[...] nécessaires à la croissance des[...] ongles.

Un tiers des 250 000 médecins du Royaume-Uni ont été recrutés à l'étranger.

Pendant des décennies, les jeunes médecins britanniques ont fui les salaires bas et les conditions de travail peu attirantes de leur pays.

En 1972, l'expulsion de 50 000 Indo-Pakistanais, dont nombre de médecins, par le dictateur ougandais Amin Dada, avait remédié à la pénurie. L'Inde a ensuite fourni près de 30 000 médecins au Royaume-Uni, suivie de l'Afrique du Sud et du Pakistan. Enfin, les salaires ont été rendus attirants (90 000 euros par an en moyenne)... et si les médecins britanniques partent travailler en Nouvelle-Zélande ou en Australie, c'est parce qu'ils sont désormais trop nombreux !

PARIS

compte 10 FOIS PLUS DE PSYCHIATRES que les autres départements français.

La moyenne nationale du nombre de
psychiatres rapporté à la population totale
cache d'énormes écarts.
Elle varie de 1 à 80 selon les départements.
Ainsi, Paris compte plus de psychiatres
(1 700) que l'ensemble des 13 départements
de la Picardie, du Nord-Pas-de Calais,
de la Normandie, de la Lorraine,
et de la Champagne-Ardennes réunis…
qui comptent 5 fois plus d'habitants
que la capitale.

IL Y A **40 FOIS** PLUS **DE PSYCHIATRES** EN FRANCE QU'AU MAROC, POUR UNE POPULATION QUI N'EST QUE DEUX FOIS PLUS ÉLEVÉE. **LES MAROCAINS SE PORTENT-ILS MIEUX, OU SONT-ILS MOINS SOIGNÉS QUE** LES FRANÇAIS, CHAMPIONS D'EUROPE DE LA CONSOMMATION DE PSYCHOTROPES ?

*Une fille qui entre seule dans un café, en France,
sera abordée au bout de 18 mn en moyenne,
si elle est habillée de façon neutre.
La même fille, entrant dans le même café,*
*à la même heure le même
jour de la semaine
suivante, coiffée et
maquillée de la même
façon que la première
fois, mais habillée
d'une jupe courte et
d'un haut décolleté, sera
abordée au bout de 6 mn.*

**Une mini-jupe
et un décolleté
divisent par 3
le temps avant
d'être abordée,
au café.**

*Si le décolleté laisse deviner la naissance des seins,
le temps se réduit encore. La façon d'aborder sera plus
directe ; le « bonjour » qui est le plus souvent de mise
dans le premier cas devient minoritaire.*

Plus de 80 % des Américaines pensent que les hommes préfèrent les blondes, **mais les hommes interrogés choisissent, dans l'ordre, les brunes (45 %), puis les blondes (40 %) et enfin les rousses (15 %).**

Les Français passent 3 h 30 par jour devant la télé, nettement moins que les Américains.

En 10 ans, le temps passé par les Européens devant les écrans a progressé d'un quart d'heure. Cette progression tient compte de la télé « délinéarisée » : les émissions sont enregistrées et regardées dans les 24 heures.

Les Américains restent les grands champions, avec 4 h 15 par jour devant la télé. Ajoutez, pour les internautes américains, près d'une heure de *surf* par jour.

Mais les internautes français dépassent les Américains et tous les Européens, en passant 1 h 15 sur la Toile chaque jour.

La consommation télévisuelle réunit tous les peuples : elle est en moyenne de 3 heures/jour au Maghreb, où elle augmente de 50 mn durant le ramadan.

Les forêts mondiales reculent d'une superficie équivalente à 30 terrains de foot chaque minute.

Les grandes forêts du monde reculent. Elles reculent vite. Le phénomène n'a rien de naturel : l'exploitation agricole surtout, et le bois de chauffage ensuite en sont les deux principales raisons.

Chaque jour, la surface de plus de 40 000 terrains de foot de 100 m sur 70 disparaît.

À la fin de l'année, le recul est de 10 millions d'hectares : des millions de terrains de foot.

Tous les cinq ans, c'est l'équivalent de la surface totale de la France qui a été déboisé.

À ce rythme, en un siècle, la déforestation aura frappé l'équivalent en superficie du continent européen.

La déforestation est à l'origine de 20 % des gaz à effet de serre présents dans l'atmosphère.

*Le premier record du monde du 100 m,
enregistré en 1912, était de 10,6 secondes.
Il fut établi par un Américain, Donald Lippincott.*

En un siècle, les recordmen du 100 m ont progressé de moins d'une seconde.

Pourtant, l'entraînement s'est professionnalisé, les starting-blocks ont été mis en place à la fin des années 1930, le revêtement des pistes est devenu plus « rapide » dans les années 1980, les chaussures se sont allégées et dotées de clous profonds et fins.

Les champions du 100 m dépassent la vitesse de 40 km/h.

Le record du monde du 100 m se court en moins de 10 secondes, à une vitesse moyenne de 37 km/h.
La vitesse maximale est atteinte à mi-course.
Au-delà de 70 m, le coureur ralentit.
Pendant cette période de pointe, le coureur avance à plus de 40 km/h.
Certains atteignent des vitesses instantanées de 44 km/h.

LES BEST-SELLERS ABSOLUS DE L'HISTOIRE AUTOMOBILE SONT LA COCCINELLE ET LA GOLF.

Longtemps la voiture la plus vendue au monde fut la Coccinelle. Le modèle a duré 30 ans, et a dépassé les 21 millions d'exemplaires. La *Volkswagen*, « voiture du peuple », fabriquée à la demande de Hitler, est devenue une marque.

Le succès de la Golf, qui a succédé à la Coccinelle, est encore plus grand. Il atteint, à sa sixième génération, le chiffre de 26 millions d'exemplaires.

La gamme allemande, courte, explique ce record de vente pour un modèle. Renault ou Peugeot produisent chaque année plus de 3 millions de véhicules, mais leurs gammes comprennent plus de modèles.

LE PARC AUTOMOBILE FRANÇAIS VIEILLIT :

L'ÂGE MOYEN DES VOITURES EN FRANCE EST PASSÉ DE 6,5 ANS EN 1995 À 8,2 ANS EN 2008. ON NE SAIT SI C'EST LE SIGNE QUE LES VOITURES SONT PLUS SOLIDES OU SI LES CONSOMMATEURS PRÉFÈRENT INVESTIR AILLEURS, PAR EXEMPLE DANS LEUR LOGEMENT.

Dans les années 1950, la part de General Motors
sur le marché américain était de 45 %.
En 2008, elle est passée à moins de 20 %,
tandis qu'un véhicule sur deux acheté
aux États-Unis était étranger.

Detroit,
capitale américaine
de l'automobile,
a perdu plus de la moitié
de ses habitants
en 30 ans.

En une trentaine d'années, la population de
Detroit, la ville de General Motors, est passée de
2 millions à moins de 800 000 habitants.
Detroit est aussi devenue la ville la plus dangereuse
du pays : 30 meurtres y ont eu lieu rien qu'en juin 2008.

La capitale
des États-Unis,
Washington D.C.,
est une ville
noire à 60 %.

Le monument le plus visité au monde depuis les débuts du tourisme est LA TOUR EIFFEL. L'année de son inauguration, pour l'Exposition universelle de 1889, la tour Eiffel reçut 30 MILLIONS DE VISITEURS – l'équivalent de toute la population française de l'époque. On venait de toute l'Europe contempler la plus haute construction du monde. Le succès ne se dément pas : LA TOUR REÇOIT CHAQUE ANNÉE 7 MILLIONS DE VISITEURS. LE TOTAL, DEPUIS L'ANNÉE 1889, DÉPASSERAIT 200 MILLIONS. Pourtant, ce n'est pas une œuvre d'art, plutôt un ouvrage technique : une pile de pont posée sur un grand tabouret... Il était d'ailleurs prévu de la démonter dès la fin de l'Exposition universelle.

La
Burj
Dubaï
Tower,
la plus
haute tour
du monde,
érigée à Dubaï,
a battu, pendant
sa construction,
le précédent record
de 508 m (détenu par
une tour de Taiwan),
avant de grimper jusqu'à
près d'un kilomètre d'altitude.

PLUS DE 50 MILLIONS DE BILLETS DE 500 € SONT PLANQUÉS EN ESPAGNE.

La Banque centrale européenne envoie les grosses coupures dans chaque pays en fonction de son nombre d'habitants. Or l'Espagne « consomme » deux fois plus de billets de 500 € que les autres pays. Autrement dit, la moitié des 108 millions de billets de 500 € qui « circulent » en Espagne ne devrait pas se trouver là. Ces billets représentent 25 milliards d'euros cachés.

Une population est stable si les femmes ont deux enfants dans leur vie (en fait, 2,1 pour compenser les accidents de la vie) : une femme doit porter un enfant pour la remplacer, et un deuxième enfant pour remplacer le père.

En 1950, aucun pays ne vivait sous ce seuil de renouvellement.

LA POPULATION DE 80 % DE LA PLANÈTE VA CESSER DE CROÎTRE EN 2050.

Aujourd'hui, 40 % des habitants de la planète sont passés sous ce cap. Et, d'ici la fin du siècle, ce sera le cas de 80 % de la population.

Des réactions ? Face aux régimes de retraites italiens, rétrécis depuis 15 ans, on a vu un peu remonter la natalité. Les Italiens comptent-ils sur leur descendance pour assurer leur devenir ? Quant à la crise financière… incitera-t-elle à faire des enfants ?

L'explosion démographique
de l'Inde est récente
à l'échelle de l'histoire.
En 1950, la population
indienne était de 360 millions
d'habitants et représentait
8 fois celle de la France.
Tandis qu'aujourd'hui,
la population de l'Inde est
de 1,150 milliard d'habitants.
Elle représente près de 20 fois
les 63 millions de Français.

Chaque jour, les villes du globe gagnent 200 000 habitants.

La Terre compte 5 millions de nouveaux urbains par mois, essentiellement au Sud : 95 % des nouveaux urbains vivent dans des pays en développement. Une majorité rejoint le milliard d'êtres humains qui vivent dans des bidonvilles.

L'Asie s'urbanise, l'Afrique vit la révolution urbaine la plus brutale au monde, tandis qu'au Nord les villes stagnent ou perdent des habitants. Dans les trente dernières années, il y a un plus grand nombre de villes du monde développé qui ont décliné que de villes qui ont grossi.

L'urbanisation de la Chine rattrape
la moyenne mondiale (50 %). La population
est boostée par la révolution démographique :
l'espérance de vie chinoise s'est allongée
de 20 ans en un siècle.

Sur les 90 villes chinoises dépassant 1 million d'habitants,
50 ont été créées il y a moins de 20 ans.

250 villes nouvelles ont poussé depuis 1990,
et 400 autres vont s'y ajouter d'ici dix ans.
Si elle parvient à relever le défi, la Chine aura
accueilli dans ses villes, entre 1950 et 2020,
une population de 900 millions de personnes
(paysans migrants et nouveau-nés).
Le mouvement de création et d'agrandissement
de villes aura réussi à éviter le développement
de bidonvilles comme en Inde.

La Chine,

**poids lourd démographique,
est en régression relative,
dans l'histoire de la planète :**
elle pesait 38 % de la population
mondiale en 1850, mais elle n'en
représentera plus que 15 % en 2050.

DANS 6 PAYS EUROPÉENS,

LES EFFECTIFS DE POLICE PRIVÉE

DÉPASSENT DÉSORMAIS LES

EFFECTIFS DE POLICE PUBLIQUE.

Dans le domaine de la privatisation de la sécurité, la Hongrie détient le record, avec deux fois plus d'agents de sécurité privés que de policiers : 80 000 pour 40 000. La Grande-Bretagne « complète » le chiffre des 140 000 policiers par 250 000 personnels de sécurité privée.

Pour une ville française de 8 000 habitants, comptez

1 juge,
6 avocats,
et 30 policiers.

Première observation : cela fait plus de juges que de libraires. Deuxième sujet de méditation : pourquoi y a-t-il 6 avocats pour un seul juge ? Un juge a souvent plusieurs « clients » pour la même affaire, adversaires à départager ou complices à juger ensemble. Ce qui fait, déjà, au moins deux avocats (un par justiciable) pour un juge. Mais pourquoi faut-il encore multiplier le nombre d'avocats par trois ? Le juge peut donner du fil à retordre à pas mal d'avocats à la fois : une procédure de divorce contentieux, par exemple, dure 14 mois en moyenne.

En 1800, Paris
comptait 550 000 habitants :
2 % de la population française.

Aujourd'hui, l'Île-de-France
compte 12 millions d'habitants :
près de 20 % de la population
totale du pays.

L'Île-de-France
est la seule région de France
que l'on ait envie de fuir :
25 % de ses habitants la quittent
au moment de prendre leur retraite.

Dans toutes les autres régions de France,
on reste sur place quand on prend
sa retraite. Le taux de mobilité
à ce moment-là est de seulement
5 % en moyenne, il est donc 5 fois
plus faible qu'en Île-de-France.

1°C

Cette différence de température suffit pour faire changer le sexe de certains poissons.

Sur les 27 000 espèces de poissons actuellement connues, environ 10 % sont naturellement hermaphrodites. Les changements de sexe permettent chez ces poissons de remplacer les reproducteurs défaillants.

Mais pour 90 % des espèces, normalement, un individu conserve son sexe toute sa vie. Quand les modifications de l'environnement – changement climatique ou pollution – changent les sexes des individus, les équilibres reproductifs sont altérés. Encore une conséquence inattendue du changement climatique…

Le rythme de fonte des glaces du Groenland a plus que doublé entre 1950 et 2000.

Il est passé de 100 à plus de 200 milliards de tonnes par an, auxquelles s'ajoute la fonte des glaciers, contribuant à faire s'élever le niveau des mers.

3 mm par an Au rythme actuel, les océans montent de 30 cm par siècle.

Une personne sur 15 vit au niveau de la mer, exposée à la montée des océans.

400 millions d'habitants du globe vivent dans des villes situées au niveau de la mer ou à moins de 10 mètres d'altitude. Dacca, au Bangladesh (13 millions d'habitants), est déjà touchée par les inondations.

À Alexandrie, en Égypte, 2 millions de personnes devraient déménager si la mer montait de 50 cm.

3 300 villes côtières sont concernées sur la planète par ce risque. **Les pays riches sont les principaux responsables du réchauffement climatique. Il va falloir qu'ils aident à créer des structures urbaines durables pour accueillir les populations menacées.**

Un Européen mange
770 kg de nourriture
chaque année.
C'est 5 % de plus
qu'il y a trente ans.

Cette progression provient
de l'amélioration des conditions de vie
dans les pays les moins riches d'Europe.
Dans les autres, on mange moins.

Chaque Français
produit 100 g de déchets
à l'heure : il rejette
son poids en déchets
tous les 40 jours.

En écartant 8 heures de sommeil, pendant lesquelles vous ne jetez rien à la poubelle, il reste 16 heures de veille. Sachant que les Français produisent 1,6 kg de déchets par jour en moyenne, chacun de nous produit environ 100 g de déchets à l'heure.

Soit une demi-tonne de déchets par an…
ou, à nous tous, 35 millions de tonnes.

Si des camions de 8 tonnes emportaient ces ordures en une seule fois, il en faudrait 4 millions, qui occuperaient 10 autoroutes à 4 voies sur 1 000 km de long.

Pour un coût de 60 $ le baril, le charbon se transforme en hydrocarbure : la pénurie est loin !

Nous avons trop d'hydrocarbures.
Vous avez bien lu.
Le charbon, c'est du pétrole solide : il lui a manqué quelques millions d'années et la pression idoine pour devenir liquide.
Mais l'industrie chimique sait finir le travail et liquéfier le charbon : l'Allemagne nazie ou l'Afrique du Sud, au temps de l'Apartheid, le faisaient déjà. C'était très coûteux, quand le baril valait 3 $ (avant 1973). Mais à 100 $, l'opération redevient rentable.

En tenant compte des réserves de charbon, l'humanité a trois siècles d'équivalent pétrole devant elle : 6 000 milliards de barils... à ne surtout pas utiliser, réchauffement climatique oblige.

À DUBAÏ, LE PÉTROLE NE PÈSE PLUS QUE 5 % DU PIB.

Dubaï est un des rares pays à avoir anticipé la fin de la rente pétrolière. Ses réserves seront épuisées dans quelques années, mais l'émirat tente d'asseoir son économie sur d'autres bases comme le tourisme et les nouvelles technologies.

Avec un chiffre
d'affaires journalier de
90 milliards de dollars,
la drogue est la première
denrée, en valeur, dans les
échanges internationaux.
Le pétrole n'arrive
que loin derrière.

La Terre peut absorber chaque année
11 milliards de tonnes de CO_2.
C'est 3 fois moins que notre production actuelle.
Le réchauffement climatique est enclenché :
nous n'éviterons pas une élévation d'au moins 2° C.

L'objectif : ne pas dépasser ce niveau de hausse.
Pour cela, notre consommation d'hydrocarbures,
première source de nos émissions de CO_2,
ne doit pas être stabilisée, mais réduite.

Les pays développés doivent diviser

par 3,5 leurs émissions de CO_2

pour éviter la mort de la planète.

Le premier émetteur mondial
de CO_2 est la Chine, avec
24 % des émissions mondiales.

Mais en rapportant ces chiffres
au nombre d'habitants, la Pologne
se classe en tête : 9 tonnes de CO_2
par habitant et par an, soit deux fois
plus que la moyenne européenne,
qui est elle-même deux fois supérieure
à la moyenne mondiale.

Le conte des *Trois Petits cochons* influence
les Français, au contraire des autres peuples :

La France compte 5 % de maisons en bois, contre 60 % en Scandinavie et 90 % aux États-Unis.

Pourtant une maison à ossature bois dure aussi
longtemps qu'une maison en dur, et les qualités
d'une maison en bois sont connues.
Contrairement à ce que l'intuition nous pousse
à croire, une maison en bois résiste mieux, en
cas d'incendie, qu'une structure en acier ou en
béton. D'ailleurs, les compagnies d'assurances
n'appliquent pas de surprimes aux maisons
à structure bois, et les portes coupe-feu sont
faites en bois, et non pas en métal.

Le bois isole dix fois mieux du froid que le béton.

L'été, les maisons en bois restent fraîches, et elles sont plus sèches l'hiver : l'humidité ne peut y remonter par les murs.

Malgré les hivers rigoureux, une famille canadienne consomme moitié moins d'énergie pour se chauffer qu'une famille française.

Il y a en France
3 millions d'entreprises,
comme en Espagne,
mais moins qu'en
Grande-Bretagne,
où l'on en compte
3,6 millions,
et très loin des 24 millions
d'entreprises des États-Unis.
Ce qui en fait 8 fois plus, pour une
population qui n'est que 5 fois plus
nombreuse. Ces différences entre pays
tiennent au nombre d'entreprises
individuelles.

La Belgique wallonne, francophone, francophile, peut aussi se sentir française au sens économique du terme. Les filiales de groupes français pèsent bien plus lourd, dans l'activité économique, que les autres nationalités : les groupes français pèsent 40 % des grandes entreprises, loin devant les groupes belges (25 %) ou néerlandais (22 %). Les tendances politiques s'harmoniseront-elles avec les flux économiques ?

En Wallonie, 40 % de l'activité des grandes entreprises est réalisée par des groupes français.

Pour 11 % des Français, les attentats du 11 septembre 2001 ont été organisés par les États-Unis.

Les théories du complot ne disparaissent pas à l'ère du direct. Régulièrement, de nouvelles " preuves " surgissent : aucun avion n'a frappé les tours, des bombes bien placées ont été vues, *etc.* Toutes ces explications convainquent ceux qui ont envie de se laisser convaincre : ainsi, pour 43 % des Égyptiens et 23 % des Allemands, Israël est à l'origine de ces attentats.

IL SUFFISAIT DE
30 PRÉNOMS
POUR APPELER
LA MOITIÉ DES ENFANTS
NÉS EN 1950.

IL FALLAIT
ENCORE SEULEMENT
36 PRÉNOMS
POUR APPELER
LA MOITIÉ DES ENFANTS
NÉS EN 1965.

IL FAUT
147 PRÉNOMS
POUR NOMMER
LA MOITIÉ DES ENFANTS
NÉS EN 2000.

LA PREMIÈRE PISCINE
FUT OUVERTE EN 1785 À PARIS.

On ne nageait pas dans les bains publics d'avant la Révolution. Ils tenaient lieu de café où l'on papotait, et de baignoires où l'on barbotait : hormis chez les plus riches, les salles de bains privées n'ont équipé les appartements qu'à partir des années 1950. La première piscine, qui devait servir d'école de natation, s'ouvrit à Paris, dans un bassin flottant, au bord de la Seine. Le conseil municipal et le prévôt des marchands se rendirent en grand appareil pour visiter la chose, le 10 septembre 1785.

La pénurie de diplômés du supérieur représente

10 % du total de la force de travail dans le monde.

Manque d'enseignants en Allemagne, de personnel de santé aux États-Unis… Comme l'éducation ou la santé ne peuvent se délocaliser, les pays riches attirent les élites formées à grands frais par les pays pauvres. Ce « braconnage » est un fléau pour les uns et une affaire juteuse pour des pays comme les États-Unis, la Russie, l'Allemagne, l'Ukraine, la France, ou l'Arabie Saoudite : le coût moyen de formation d'un diplômé du supérieur est de 150 000 dollars.

La bosse des maths existe… dans la tête des parents, qui projettent leurs ambitions de façon différenciée selon qu'ils pensent à l'avenir d'un petit garçon ou d'une petite fille.

En France, 45 % des parents souhaitent un bac S pour leur fils, et 28 % pour leur fille.

En tout cas, la fameuse bosse ne se trouve pas dans le cerveau des enfants. Des études menées partout dans le monde montrent que les différences entre les individus d'un même sexe l'emportent largement sur les différences entre sexes.

**Deux poids,
deux mesures :
les frais engagés
pour un élève
de classe prépa
dépassent de 80 %
les frais alloués
à un étudiant
de l'université.**

L'ESPAGNE EST LA PREMIÈRE
DESTINATION TOURISTIQUE
EUROPÉENNE EN NOMBRE
DE NUITÉES PASSÉES
SUR PLACE.

AH, L'ESP

LA FRANCE
LA DEVANCERAIT SI L'ON
SE CONTENTAIT DE COMPTER LES
TOURISTES, SANS TENIR COMPTE DE
LA DURÉE MOYENNE DE LEUR SÉJOUR.

GNE...

L'ESPAGNE EST AUSSI
LA PREMIÈRE DESTINATION
DES ÉTUDIANTS QUI ADHÈRENT
AU PROGRAMME ERASMUS,
MAIS LA MOBILITÉ INTERNATIONALE
NE CONCERNE QUE 4 %
DES ÉTUDIANTS EUROPÉENS.

Sur les 15 sites

touristiques

européens

les plus visités,

9 sont en France...

1. DISNEYLAND PARIS

2. NOTRE-DAME DE PARIS

3. LE MUSÉE DU LOUVRE

4. SAINT-MICHEL

5. LA TOUR EIFFEL

6. LE CHÂTEAU DE VERSAILLES

7. LA CITÉ DES SCIENCES
ET DE L'INDUSTRIE

8. LE CENTRE POMPIDOU

9. LE PONT DU GARD

Chaque jour, sur Terre,

Un demi-million de femmes meurent en couches chaque année.

1 300 femmes meurent en accouchant.

Le plan Paulson, adopté
par le Parlement américain
en octobre 2008, prévoyait de débloquer

700 milliards de dollars

pour soutenir les banques :

vingt fois de quoi remédier à la malnutrition sur Terre,

en conjuguant **Pour nourrir tous**

microcrédit **ceux qui souffrent**

et prêts à long

terme dédiés **de malnutrition sur**

à l'éducation **Terre, il suffirait de**

ou à d'autres

projets précis. **30 milliards de dollars.**

Chaque semaine,
dans les prisons françaises,
deux suicides « réussissent ».

Dans tous les pays, le taux de suicide
est plus élevé pour la population emprisonnée
que pour les autres composantes
de la population. En France, il est 7 fois
plus important, et atteint des valeurs
très supérieures à celles des autres pays.
Les effets des conditions de vie déplorables
et de la surpopulation carcérale se retrouvent
dans ces chiffres de 90 à 120 suicides annuels,
selon les années.

En France,
la population carcérale
s'est accrue de 20 %
ces dix dernières
années.

Les prisonniers sont passés de 48 000
à 68 000 entre fin 1998 et fin 2008.

Le nombre de détenus
dépasse ainsi de 25 %
le nombre de places
disponibles.

En France, 40 % des détenus présentent un syndrome dépressif.

Celui-ci se traduit en particulier sous forme d'anxiété généralisée, ou d'attaques de panique, ou encore de phobies sociales.

Près de 40 % des détenus sont dépendants à des drogues ou à l'alcool.

21 % des détenus présentent des troubles psychotiques graves, incluant des troubles de type schizophrénique.

Les moins de 18 ans représentent en France entre 18 % et 20 % des personnes mises en cause par la police : chaque semaine, 80 000 jeunes de moins de 18 ans sont mis en cause par la police. Parmi eux, 1 000 sont mis en examen pour des actes criminels (viols, vols à main armée, trafics...)

LA BANQUE DE FRANCE CACHE, À 28 M SOUS PARIS, 2 700 TONNES D'OR.

CES RÉSERVES PEUVENT PARAÎTRE IMPRESSIONNANTES, D'AUTANT QUE LE PRIX DE L'ONCE D'OR A QUADRUPLÉ ENTRE 2001 ET 2009. POURTANT, L'OR DÉTENU NE PÈSE RIEN, FACE À LA DETTE PUBLIQUE, QUI EST DE 1 200 MILLIARDS D'EUROS : CES RÉSERVES COUVRENT À PEINE 5 % DE LA DETTE PUBLIQUE FRANÇAISE.

LES VARIATIONS DU DOLLAR FACE À L'EURO ET DE LA VALEUR DE L'OR, COTÉE EN DOLLARS, N'Y CHANGENT RIEN. PIRE : LA DETTE AUGMENTE, ET LES STOCKS S'AMENUISENT DE 50 À 100 TONNES PAR AN.

L'Empire du Milieu n'est plus seulement l'atelier du monde, il est aussi au sommet de l'économie bancaire.

TROIS DES DIX PLUS GRANDES BANQUES DU MONDE SONT CHINOISES.

Leur valeur se mesure, comme pour les autres entreprises, par leur cotation en Bourse : l'*Industrial and Commercial Bank of China* – plus connue sous le nom d'ICBC –, vaut 150 milliards de dollars en Bourse, malgré une baisse de près de 50 % de valeur en 2008. Elle précède une autre banque chinoise, la *China Construction Bank*, cotée à 90 milliards de dollars.

Le tourisme international est dynamisé par les **40 millions de touristes chinois,** qui représentent désormais **5 % des touristes mondiaux.**

Le plus gros employeur au monde **est la chaîne américaine de supermarchés** *Wall-Mart,* **qui compte** *2 millions d'employés,* **dont 1,4 million aux États-Unis.**

Dans l'univers de la fringue, près de la moitié des achats sont effectués à des prix de soldes ou de promotions. Compte tenu de leur prix décoté, ces achats représentent le tiers du chiffre d'affaires du secteur.

Près de 80 % des poubelles de particuliers contiennent au moins un document pouvant servir à l'usurpation d'identité.

Environ 20 % des poubelles d'un ménage contiennent des données bancaires et des factures mentionnant nom et adresse. Il suffit de rassembler le nom, la date et la localité de naissance de quelqu'un pour usurper son identité. Des sites comme Facebook ou copainsdavant fournissent souvent ces informations. Le fraudeur peut ainsi demander à la mairie de naissance un certificat de naissance. Puis il déclare la perte de ses papiers et il en fait établir de nouveaux, muni des factures et du reste : 10 % des cartes d'identité seraient des vraies-fausses.

Un quart des Français sont dotés de **téléphones permettant d'envoyer des mails** et d'en recevoir, mais seulement **10 % exploitent cette fonction.**

Le regard est fixe, le cœur bat plus vite... Le téléphone au volant est devenu la quatrième cause de mort sur la route, **après l'alcool, la vitesse, et la ceinture non bouclée.**

Les ampoules
à incandescence
qui nous éclairent
produisent 5 fois plus de
chaleur que de lumière...
et le rendement des lampes
halogènes est encore pire.
Ce sont plus de 4
milliards d'ampoules
qui sont à changer
en Europe.

Les machines à imprimer
les plus rapides impriment
et façonnent 10 000 exemplaires
d'un livre de poche à l'heure.

TOUTES LES
TROIS MINUTES,
EN FRANCE, UN
NOUVEAU LIVRE
EST PUBLIÉ.

*60 000 nouveaux
livres sont
publiés chaque
année en France,
soit 20 par heure
ouvrable.*

Les anciens titres, qui font l'objet
de réimpressions, représentent un tiers
des livres imprimés chaque année : 20 000.

Un livre de poche
de 128 pages est imprimé
des deux côtés d'une seule
feuille de papier, d'environ
150 cm sur 50 cm.

Si l'expérience vous tente, ne vous
trompez pas sur l'emplacement
de chaque page : vous devrez plier
le tout en deux 7 fois de suite en lui
faisant faire un quart de tour entre
chaque pli. De quoi faire tourner
les pages en tous sens avant qu'elles
ne trouvent leur place finale!

*N.B. : On ne peut pas plier plus de 7 fois une feuille
en deux, quelle que soit sa taille, à la main
ou à la machine. Jugez-en vous-même !*

En trente ans, la part des Françaises
et des Français qui préfèrent le columbarium
au cimetière pleine terre est passée
de 20 % à 51 %.

**Mais qui résiste à l'attrait
de l'après-vie en plein ciel ?**

Les Parisiens, malgré le manque
de place, optent plus souvent
pour l'inhumation.
**Une majorité d'ouvriers
et d'employés préfèrent
également être enterrés.**

Bref, si vous êtes un cadre (vivant)
en province, il est plus probable
que vous choisirez l'éternité en cendres !

En un siècle, le record de l'heure, en athlétisme, s'est amélioré de 10 %.

En 1913, le Français Jean Bouin bat le record de l'heure en courant 19,021 km. Pour progresser, il s'arrête de fumer et s'entraîne dur, mais il est tué sur le front de la Grande Guerre, en 1914, à l'âge de 26 ans. Son record tiendra pendant 15 ans. Presque un siècle plus tard, depuis 2007, c'est un Éthiopien qui détient le record.

Haile Gebreselassie a parcouru, en une heure, 21,285 km.

En un an, **l'aéroport de Roissy**
voit passer 60 millions de passagers.
Chaque jour, 150 000 personnes passent
à Roissy, soit pour en décoller, soit pour
y atterrir... ou encore les deux, pour ceux
qui sont en correspondance.
Sur le seul week-end du 14 juillet,
ils sont plus d'un million. À la fin de l'année,
en tout cas, c'est presque l'équivalent
de la population française qui aura défilé en
tant que passager à Roissy-Charles-de-Gaulle.
C'est le 1er aéroport français, le 2e européen,
après Londres, et le 6e mondial.

En 1926, Gertrude Ederle, une Américaine de 19 ans, nage du cap Gris-Nez à Kingsdown en **14 heures et 39 minutes.** Non contente de devenir la première femme à traverser la Manche à la nage, elle bat tous les records établis – par des hommes – auparavant.

PRÈS D'UN MILLIARD DE PERSONNES SUR TERRE N'ONT PAS ACCÈS À L'EAU POTABLE.

Le marché du dessalement de l'eau est marginal mais il explose littéralement : il a été multiplié par 20 en 20 ans. Chaque jour de l'année 2008, un volume de 50 millions de m^3 a été dessalé : de quoi désaltérer et doucher 500 millions de personnes (consommant 100 litres d'eau chacune), près de 10 % de la population mondiale.

La moitié de la production d'eau douce à partir d'eau salée est concentrée au Moyen-Orient. En effet, le processus de désalinisation est très coûteux en énergie.

Devant la pénurie d'eau douce,
l'eau sortant des usines de traitement des eaux usées
sert s'eau potable : à Singapour, 1 % de l'« eau
des égouts » est recyclée et utilisée comme eau potable.
En Australie, une station d'épuration doit ouvrir
fin 2009 pour servir l'eau « en boucle ».

La chaise électrique

a fonctionné pour la première fois en 1890 aux États-Unis.

Le courant alternatif était une découverte
toute neuve : l'année précédente, en 1889,
des dizaines de millions de touristes venaient admirer
l'éclairage électrique alternatif installé à la tour Eiffel.
Thomas Edison, partisan du courant continu
et adversaire acharné du courant alternatif, trouvait
ce dernier dangereux, et le prouvait en électrocutant
des chats, des chiens, des chevaux et même
un éléphant. Très vite, l'État américain considéra que
ce serait une méthode moins cruelle que la pendaison.
Edison fut chargé de construire un engin
pour les condamnés à mort.

En 2007, à Paris,
toutes les deux heures
ouvrables, un appartement
d'une valeur dépassant
le million d'euros **était vendu.**
Cela fait un total de 1 200 dans l'année.
Environ 180 ventes de logements de plus
de deux millions d'euros ont été conclues
dans la même année. C'était avant la crise...

Le 100 m nage libre fut nagé
en moins d'une minute
pour la première fois en 1922.
L'auteur de cet exploit ?

tarzan !

**L'Américain Johnny Weissmuller établit
ce record en nageant 100 mètres en
58 secondes et 6 dixièmes. Quelques années
plus tard, il incarnait Tarzan au cinéma.**

LE PREMIER MARATHON DE L'ÈRE MODERNE FUT COURU EN 1896, SUR 40 KM

VAINQUEUR : LE BERGER GREC SPYRIDON LOUIS, EN 2 H 58 MN 50 S

CES 40 KM RAPPELLENT L'EXPLOIT SUPPOSÉ D'UN SOLDAT GREC, LORS D'UNE BATAILLE CONTRE LES PERSES, EN 490 AV. J.-C. LA COURSE S'EST ALLONGÉE À L'OCCASION DES J.O. DE LONDRES, EN 1908. LA COURSE DÉMARRA AU CHÂTEAU DE WINDSOR ET S'ACHEVA FACE À LA LOGE ROYALE, AU STADE OLYMPIQUE. TOTAL : 42,195 KM. CETTE MESURE DEVINT LA DISTANCE OFFICIELLE EN 1921. DES MARATHONIENS CRIENT PARFOIS « VIVE LA REINE ! » AU PASSAGE DU QUARANTIÈME KILOMÈTRE POUR CÉLÉBRER LES 2,2 DERNIERS KM, « CADEAU » DE LA FAMILLE ROYALE D'ANGLETERRE.

La fortune de **Bill Gates** ou de **Warren Buffet** (que Obama comme McCain avaient annoncé vouloir choisir comme ministre des Finances) chatouille les

50 milliards de dollars.

Ce qui représente deux millions d'années de Smic (environ 25 000 dollars annuels). Autrement dit, le salaire de 100 000 smicards pendant vingt ans.

Les États-Unis sont un pays de liberté et d'inégalité. Les destins les plus improbables y sont possibles. Les grands écarts sont vraiment grands, et rapides.

Michelle Obama, enfant d'une banlieue pauvre de Chicago, gagnait plus de 300 000 $ en 2008.

Le salaire minimum horaire est de 6 $ aux États-Unis, plus bas que le Smic français. Et vers le haut, on grimpe plus haut. Michelle Obama, qui, enfant, se levait à 5 h 30 pour faire ses devoirs dans son pauvre appartement, a pu ensuite faire des études à Harvard. À 43 ans, elle percevait un salaire élevé, mais pas inhabituel, de 121 000 $ comme directrice des relations extérieures de l'hôpital universitaire de Chicago. Son salaire passait à 317 000 $ l'année suivante, début 2008.

Depuis l'année 2001, près de 500 millions de lecteurs MP3 ont été vendus.

Cette « richesse » n'est pas également répartie : pendant cette période, sur environ deux milliards de familles sur Terre, cent millions ont acheté plusieurs lecteurs MP3, tandis qu'un milliard de familles n'en auront acheté aucun.

En moyenne, chaque Français achète 1 disque par an.

Depuis 2002, les chiffres des ventes de CD et de DVD musicaux ont été divisés par trois.

**ENTRE 2007 ET 2009,
EN DEUX ANS À PEINE,
LE NOMBRE DE CAMÉRAS
DE SURVEILLANCE AURA
DOUBLÉ À PARIS.**

Il dépasse le cap des 1 000, pour atteindre
1 200 caméras de surveillance fin 2009.

Ces équipements sont inégalement répartis
selon les quartiers : il y en a deux fois plus
dans le XVIIIe arrondissement que dans le VIe.

**LES 32 ARRONDISSEMENTS
DE LONDRES TOTALISENT
PLUS DE 10 000 CAMÉRAS.**

Paris est encore loin du *Big Brother* britannique.

L'impact des pesticides est avéré sur le cerveau des insectes. Mais sur le cerveau en développement d'un enfant ? Il est très probable que ces pesticides sont toxiques. Mais aucune étude n'étant obligatoire, la première date de 2008 seulement. Elle suggère… de poursuivre les tests à ce sujet. À suivre !

CHAQUE ANNÉE, 150 000 TONNES DE PESTICIDES SONT UTILISÉES EN EUROPE SUR LES CULTURES DESTINÉES À L'ALIMENTATION.

En France, la moitié des fruits et légumes contiennent des pesticides, **le quart en contient au moins deux différents.**

Vingt fois plus redoutable que le CO_2, le méthane est un gaz à effet de serre oublié, car c'est un polluant volatil : il disparaît dans l'atmosphère plus vite que le CO_2 : après 12 ans, contre un siècle pour le CO_2. D'ici 2030, nos émissions de méthane équivaudront à l'ensemble des émissions de CO_2 des énergies fossiles. À l'échelle du siècle, le méthane devrait représenter un huitième des émissions de gaz à effets de serre. Celles-ci sont essentiellement imputables aux rots des vaches et des moutons d'élevage, produits par la fermentation des herbages dans l'appareil digestif : la consommation de viande est une source d'émissions de gaz à effet de serre pire que les transports.

Le nombre
de caries a été
divisé par deux
depuis 20 ans
en France, grâce
à une meilleure
hygiène.

La première opération d'urbanisme voit le jour en 1600 en France : la place des Vosges fut créée par décision d'Henri IV.

Le roi voulait embellir sa capitale, conquise de haute lutte, notamment par sa fameuse conversion au catholicisme.

Chacun des propriétaires des maisons à bâtir autour de la place aurait le droit de faire ce qu'il voulait chez lui... une fois la façade construite selon les consignes imposées par l'architecte pour donner à la place une allure harmonieuse.

Le plus vieux pont de Paris s'appelle le Pont-Neuf. **Sa construction a commencé en 1578 et** il a été achevé sous le règne d'Henri IV en 1607.

Bientôt, 40 % des Japonais auront plus de 65 ans.

La solitude a des effets destructeurs chez les personnes âgées au Japon : le nombre de détenus âgés de plus de 65 ans, qui était inférieur à 10 000 en 2000, approche désormais 30 000. Beaucoup se font volontairement arrêter pour être logés, nourris, et pour parler à quelqu'un.

Rares sont les pays qui disparaissent, à l'instar de la population de l'île de Pâques qui a quasiment disparu, après avoir épuisé les forêts qui abritaient une faune et une flore luxuriantes. Mais des pays à faible natalité vont connaître, dans les années à venir, une chute de leur population.

Au XXIe siècle, le Japon va perdre 25 % de sa population, l'Ukraine et la Géorgie, 28 %, et la Bulgarie, 35 %. Des populations aussi importantes que celles de la Russie (140 millions d'habitants à ce jour) ou de l'Allemagne (80 millions) vont aussi connaître des diminutions, partiellement compensées par l'immigration.

En 2050, la France, seul grand pays démographiquement dynamique du continent, sera le pays le plus peuplé d'Europe.

LE PLUS PUISSANT COURANT
MIGRATOIRE AU MONDE SE TROUVE
À LA FRONTIÈRE ENTRE
LE MEXIQUE ET LES ÉTATS-UNIS,
TRAVERSÉE CHAQUE ANNÉE PAR PLUS
DE 10 MILLIONS DE PERSONNES.
CE FLUX AMÈNE PRESQUE 3 FOIS PLUS
DE PERSONNES QUE LA NATALITÉ INTERNE
AUX ÉTATS-UNIS.

Près de 10 % des utilisateurs de lecteurs MP3 montent le volume sonore à fond, et se préparent une surdité précoce.

Les appareils sont bridés à 100 décibels par les constructeurs, mais ce niveau est déjà très supérieur au bruit d'un avion au décollage près de vos oreilles. Les organismes de prévention donnent les limites hautes à ne pas dépasser : 85 décibels pendant 8 heures par jour ; si l'on monte à 90 décibels, il faut se limiter à 4 heures, et, à 100 décibels, 2 heures. Dépasser ces seuils, c'est construire sa surdité. Ce serait le cas de 100 millions de citoyens européens.

Longtemps, les médecins ont pensé que les adolescents ont besoin de 7 ou 8 heures de sommeil, comme les adultes. En fait, il semble que leur besoin soit plutôt de 9 ou 10 heures. Mais *22 % des filles et 35 % des garçons de sixième se couchent après 22 heures.* Et si les filles se couchent plus tôt que les garçons à cet âge, elles les rattrapent à partir de la troisième : *80 % des adolescents – garçons et filles – se couchent après 22 heures.*

94,5 %

des poupées sont vendues à des petites filles, en France.

Selon les enquêtes sociologiques, les filles adoptent parfois les jeux des garçons, mais l'inverse est beaucoup plus rare.

On manque de sang, en France.
Au point que tout don de sang
est utilisé dans les quatre jours qui
suivent le prélèvement. Pourtant,
un tiers des Français interrogés
disent avoir

Dix fois plus l'intention
de Français déclarent de donner leur
avoir l'intention sang. En réalité,
de donner leur sang ils ne sont
qu'il n'y a vraiment que 3 %.
de donneurs.

La moitié de la population des États-Unis ne dispose pas d'une bonne assurance-maladie.

Près de 50 millions d'Américains en sont complètement dépourvus, sur un total de 300 millions d'habitants.

L'État prend en charge les familles très pauvres avec enfants à charge d'une part, et les plus de 65 ans. Mais les salariés eux-mêmes ne sont pas tous assurés : un tiers des employeurs ne proposent pas de couverture collective des risques de santé à leur personnel.

Résultat : un malade sur trois renonce, pour des raisons de coût, à voir un médecin, et un sur trois n'achète pas les médicaments, pour les mêmes raisons.

La mondialisation touche aussi la santé : l'exportation de soins est devenue une rubrique du commerce extérieur pour certains pays. Les médecins n'émigrent pas, mais les patients viennent à eux de l'étranger. Les agences spécialisées dans le tourisme médical proposent ainsi des packages complets avion-hôtel-soins.

La Thaïlande est le leader du marché des soins *low cost*, avec 1,5 million de patients étrangers par an. Elle reçoit ainsi plus de 4 000 patients étrangers par jour.

Elle est suivie, en Asie, de l'Inde et de la Malaisie. Parmi les autres destinations phare dans le monde, citons encore la Jordanie, la Tunisie, l'Afrique du Sud, Cuba ou la Bolivie.

50 millions de voitures particulières sont produites chaque année : **toutes les 30 secondes, une auto flambant neuve vient s'ajouter aux voitures roulant sur Terre.**

Dans les pays les plus développés, on a atteint le chiffre de 1 voiture pour 2 habitants.

Aujourd'hui, l'Asie devient le premier marché mondial. On compte, en Asie, 1 auto pour 200 habitants.

L'examen français qui a le plus de candidats en France est le PERMIS DE CONDUIRE, avec 1,3 million de postulants par an.

Le taux d'échec de cet examen populaire est assez élevé : seulement 700 000 candidats décrochent le permis de conduire chaque année. Le taux de réussite n'est que de 54 %. Les recalés doivent recommencer : du temps – plusieurs mois supplémentaires – et de l'argent – en moyenne 750 euros en plus pour le permis B (pour les voitures ordinaires à 4 roues). Le coût d'obtention moyen du permis B est de l'ordre de 1 200 euros.

Les 18-25 ans
sont deux fois
plus présents
que les autres
tranches d'âge
dans les
chiffres de
décès par
accident de
la route.

Dans les échanges mondiaux,

1 produit sur 15

est une contrefaçon.

Par définition, ce genre de fraude est peu visible,
mais on estime qu'environ 7 % du commerce
international est constitué par des contrefaçons.

L'esclavage est interdit presque partout, mais il touche encore plus de la moitié des pays.

Les sommets du pire : Mauritanie (15 % de la population), Pakistan, Inde, Chine, Thaïlande, Birmanie, Népal, Côte d'Ivoire, Brésil, Haïti. Le chiffre d'affaires annuel du travail forcé (effectué par des travailleurs privés de passeport, prisonniers de leur employeur) est estimé à 30 milliards de dollars.

Le nombre d'enfants et d'adultes réduits à l'état d'esclaves, soumis au travail forcé, exploités à des fins sexuelles est estimé entre 0,8 et 2,4 millions.

LES TROIS QUARTS DES CV NE SONT PAS LE REFLET DE LA RÉALITÉ, D'APRÈS LES EMPLOYEURS.

Plus des deux tiers des employeurs européens annoncent avoir repéré un mensonge sur les CV qu'ils reçoivent. Les candidats embellissent la réalité sur leur CV : diplômes obtenus, responsabilités, compagnies pour lesquelles le candidat a travaillé… Seul problème : sur Internet, il devient de plus en plus facile de se renseigner sur les candidats.

Les deux tiers de la population adulte mondiale ont désormais accès à Internet.

Aucune révolution
technique
ne s'est diffusée
aussi vite qu'Internet
sur tout le globe.

À titre de comparaison, la métallurgie
a mis deux mille ans pour se répandre,
malgré l'aspect stratégique de cette
technologie pour la guerre, la chasse,
l'outillage...

**En Corée du Sud
et aux États-Unis,
près de 75 % des adultes
surfent au moins une fois
par mois sur Internet.**

**En Inde, à l'autre
bout du classement
des grands pays,
ils sont 30 % à peine.**

Une constante : partout dans le monde,
les hommes naviguent plus souvent
sur Internet que les femmes.

UN BRITANNIQUE SUR DEUX LIT LES SMS DE SON PARTENAIRE.

53 % des sondés admettent lire les SMS de leur partenaire en cachette. Ce sondage n'est pas révélateur de comportements dont on est particulièrement fier, et pousse à la sous-déclaration : en fait, l'activité doit être encore plus intense.

Et plus on est jeune, plus on est indiscret : 77 % des 25-34 ans reconnaissent cet espionnage. Sur Internet, la « transparence » règne aussi : 42 % des Britanniques lisent les e-mails de leur partenaire.

L'infidélité touche
un couple marié sur 10,
un homme sur 8,
et une femme sur 13.
Le phénomène s'étend, surtout chez les plus
de 60 ans. L'infidélité progresse, pour
les hommes, de 20 % en 1991 à 28 %
en 2006, et, pour les femmes, de 5 à 15 %.

George Foreman,
le plus vieux champion
du monde de boxe,
avait 45 ans quand
il remporta le titre
de champion du monde
des poids lourds, par KO.

Les 300 millions d'Américains – y compris les nouveau-nés, qui ne peuvent pas tenir d'armes – détiennent 275 millions d'armes : il y a, aux États-Unis, plus d'une arme à feu par personne de plus de 15 ans. Ce chiffre est en régulière progression : en 1950, les Américains étaient 150 millions, pour 50 millions d'armes à feu : 5 fois moins d'armes par personne qu'aujourd'hui. Ces armes ne sont pas que dissuasives : on tire sur quelqu'un toutes les deux minutes aux États-Unis. Et tous les quarts d'heure, quelqu'un en décède : les armes à feu font cent morts par jour.

« L'argent est le lait nourricier de la politique », disait un soutien du républicain McCain. Après des primaires à 500 millions de dollars, la lutte entre Obama (600 millions de dollars) et McCain (400 millions de dollars) a été, de loin, la plus chère de l'histoire.

La course à la Maison-Blanche entre Obama et McCain a coûté

1,5 milliard de dollars.

Les deux candidats ont investi massivement en publicité – y compris en publicité négative, pour dégommer leur concurrent.
Les compagnies pétrolières misaient sur McCain, tandis qu'Obama bénéficiait de nombreux dons individuels, d'une moyenne inférieure à 100 dollars.

Le dernier président des États-Unis à avoir mis ses enfants à l'école publique est Jimmy Carter, en 1976.

Les enfants Obama ont rejoint l'école que Chelsea Clinton avait fréquentée...

Coût d'une année en primaire : 30 000 dollars.

Le commerce maritime mondial a doublé de volume en 15 ans. Il a atteint 8 milliards de tonnes en 2008.

90 % des échanges mondiaux de marchandises s'effectuent par bateau.

Pour chaque habitant de la planète, en un an, 1,2 tonne de marchandises sont transportées par voie maritime.

Le canal de Suez,
reliant la mer Rouge
et la mer Méditerranée,
voit passer chaque jour
l'équivalent de 50 000 camions,
transportés sur des navires
porte-conteneurs pouvant
atteindre une longueur
de 300 mètres (la tour Eiffel
pourrait être couchée
sur le pont du bateau).

La consommation
d'énergie dans le monde
a été multipliée par
7 en un siècle,

alors que la population
a été multipliée par 3.

La consommation humaine
d'eau a été multipliée
par 9 en un siècle.
L'agriculture absorbe
à elle seule 75 %
des ressources.

Un bus parisien consomme 60 à 100 litres de gasoil pour parcourir 100 kilomètres.

Un avion consomme 3 litres de kérosène par passager pour 100 kilomètres.

Un Airbus avec 400 passagers consomme 40 000 litres de carburant sur un Paris-New York (5 000 km).

L'avion consomme 3 fois plus qu'un bus, rapporté au nombre de passagers. Face à l'auto, il est toutefois raisonnable : l'auto est occupée en moyenne par 2,5 passagers, et consomme 7 litres/100 km, la consommation par passager est semblable (environ 3 litres/100 km).

Reste la qualité du carburant : le kérosène est plus coûteux et beaucoup plus polluant que l'essence auto.

En moyenne, chaque Américain consomme, au cours de sa vie :

49 g d'or
pour ses ordinateurs,
ses dents, ses bijoux

**730 tonnes
de pierres,
de graviers,
et de sable**

420 kg de plomb
pour les batteries
de toutes sortes

13 tonnes de sel

**3 000 tonnes
de charbon**

**9 tonnes
d'argile**

**9 tonnes
de phosphates**
pour les engrais
de ses légumes

**13 tonnes de
minerai de fer**

300 000 litres
de pétrole

600 kg de cuivre
pour les tuyaux
et les conducteurs électriques

**30 tonnes
de ciment**

La guerre de Cent Ans...

La guerre, au Moyen Âge, est une succession d'épisodiques batailles très courtes. Les batailles commencent avec le lever du soleil et, à midi, tout peut être fini.

Seuls les (rares) sièges durent : celui d'Orléans, délivrée par Jeanne d'Arc, est le plus célèbre. Mais la chronique se souvient surtout de ces batailles qui engagent entre 5 000 et 10 000 hommes, et qui se terminent aussi vite qu'elles ont commencé. On pouvait même continuer à aller aux champs à quelques lieues de là. Le décompte des victimes de la guerre de Cent Ans est difficile, mais les estimations sont inférieures à 10 000 morts.

Les batailles de la guerre de Cent Ans n'ont pas duré un an, au total.

La guerre des tranchées a duré près d'une année – 1916 –, sans faire bouger les lignes. Voilà pour le résultat. Pour les moyens, ce fut une hécatombe. Une journée faisait en moyenne près de 1 000 morts, en comptant les victimes des deux côtés. Tous les jours pendant 300 jours, entre janvier 1916 et décembre 1916. Total : 300 000 morts.

... C'était le bon temps !

La guerre de Cent Ans est restée dans les mémoires, mais elle ne représente que quelques jours de la boucherie de la Grande Guerre. Le XXᵉ siècle vaut bien les temps qualifiés d'« obscurs » du Moyen Âge !

Les tranchées de Verdun tuèrent 30 fois plus que toute la guerre de Cent Ans.

La guerre de Cent Ans a fait infiniment moins de victimes que la Peste noire. Cette épidémie de peste bubonique fit 20 millions de morts. Les Mongols l'apportèrent au bord de la mer Noire lors d'un siège, en jetant des cadavres infectés par-dessus les remparts de la ville. Le siège s'arrêta bientôt faute de combattants ; des bateaux génois, au retour, transmirent la peste partout où ils s'arrêtaient. La peste toucha Marseille, et gagna tout le continent en cinq ans.

La grande peste de 1350 a décimé 40 % de la population européenne.

UNE MAISON ORDINAIRE PÈSE

150 TONNES,

SOIT 500 FOIS LE POIDS DE LA FAMILLE QU'ELLE ABRITE.

Pour construire une maison, il faut d'abord la monter verticalement : comptez entre 8 000 et 10 000 briques pour les murs. Une brique pèse environ 12 kg. Ce qui fait déjà 100 tonnes.

Ajoutez la partie horizontale de la maison : dalle de base, planchers, charpente et toit. Autant de surface que pour les éléments verticaux, mais pour un moindre poids : 50 tonnes.

Au total, 150 tonnes : une masse énorme, comparée à celle des habitants de la maison.

LE PRIX DU VIGNOBLE CHAMPENOIS EST DE 60 EUROS PAR M²

Le vignoble le plus cher, en France, est celui de Champagne. Son prix est 50 fois plus élevé que le prix moyen des vignes non classées en appellation d'origine contrôlée. Ces dernières se vendent à 12 000 € l'hectare, alors que les vignobles de Champagne s'échangent autour de 600 000 €/ha. Le vignoble, en Champagne, se vend donc à 60 €/m². En ville, le prix du m² à bâtir est 20 fois plus élevé. Ainsi, même le plus cher des vignobles est bradé, comparé aux terrains des villes… Elles vont continuer à gagner du terrain sur la campagne.

Coût total de la guerre en Irak estimé, au départ, par l'administration Bush : 50 milliards de dollars. Ce montant était dépensé tous les trois mois en 2008. Pourtant les phases les plus coûteuses sont passées (phase initiale et grosses opérations de mise en place d'infrastructures).

Un soldat américain en Irak coûte un demi-million de dollars par an, hors phase de combat.

Aujourd'hui, on estime le coût de cette guerre à 2 000 milliards de dollars.

Un collant féminin contient 14 km de fil.

Un collant pèse environ 30 grammes,
et il est composé d'un seul fil, tricoté
par des machines à très fines aiguilles.
Pour être solide, le collant doit être souple.
Le fil sera d'autant plus élastique et solide
qu'il est torsadé. Sous l'effet de la traction,
les torsades se défont et le fil s'allonge
à la manière d'un ressort. Ainsi allongé,
le fil du collant mesurerait 14 km.

L'Amazone est de loin le fleuve le plus puissant du monde. Il débite 200 fois plus d'eau que le Rhône, « le » grand fleuve français. Même le deuxième fleuve du monde, le fleuve Congo, est 5 fois plus « petit » que l'Amazone.

L'Amazone débite 185 millions de litres d'eau par seconde.

La plus grosse part de nos besoins en eau va à l'agriculture, mais si l'on s'en tenait à une consommation de 100 litres d'eau par personne et par jour pour les besoins personnels quotidiens (boire, se laver...), l'Amazone pourrait « faire vivre », si on pompait tout le fleuve pendant 1 minute et 30 secondes chaque jour, 180 millions de personnes.

Les emplettes des passagers dans LES BOUTIQUES DUTY FREE de l'aéroport de Roissy se chiffrent à 300 MILLIONS D'EUROS PAR AN.

Malgré le faible nombre de produits présentés par rapport à ceux d'un magasin de grande surface, ce chiffre d'affaires est l'équivalent de ce que réalisent les plus gros hypermarchés de France.

La mer Morte a perdu plus du tiers de sa surface en 50 ans.

La mer Morte, le point le plus bas de la Terre,
est à 392 mètres sous le « niveau de la mer ».
Elle descend encore d'un mètre par an,
et continue à rétrécir. Asséché par les prélèvements
en amont, le débit du fleuve qui l'alimente, le
Jourdain, a été divisé par 5 en 50 ans. Restent les
eaux usées : le visiteur qui touche pieusement l'eau
du fleuve biblique – où Jean baptisa Jésus en l'an 28
de notre ère – trempe ses mains dans un égout.

L'aviation
assure chaque jour
7 milliards
de passagers-kilomètre.

C'est comme si, chaque jour, les 7 milliards
d'habitants de la planète faisaient un km en avion…
À ceci près qu'en fait plus de 99 % de la population
mondiale ne prend pas l'avion. À la fin de l'année,
2 milliards de billets ont été utilisés, mais
les quelque 5 000 avions qui volent au-dessus
de nos têtes transportent toujours les mêmes.

La moitié des billets
de la compagnie d'aviation
Low cost ryanair sont achetés
pour des voyages d'affaires.
La part de ces déplacements
professionnels progresse.

La France est le premier marché
d'Europe pour les piscines privées,
avant l'Espagne et l'Italie.

**Au total,
les piscines
privées françaises
consomment autant
d'eau qu'une ville
de 200 000 habitants.**

On compte environ
700 000 piscines privées
dans l'Hexagone. Il faut 40 milliards
de litres d'eau pour les remplir chaque
année, et autant pour maintenir
le niveau d'eau en compensant
les pertes dues à l'évaporation
ou aux éclaboussures.

La distance Terre-Lune est de 380 000 km : une voiture avançant à 100 km/h et qui roulerait 10 heures par jour ferait un voyage de 380 jours, soit un peu plus d'un an, pour rejoindre la Lune. C'est loin, et pourtant, c'est tout petit en regard de la taille du Soleil.

LA TAILLE DU SOLEIL EST TELLE QU'IL NE PASSERAIT PAS ENTRE LA TERRE ET LA LUNE.

Pour glisser le Soleil entre la Terre et la Lune, il faudrait écarter la Lune assez sérieusement : le diamètre du Soleil est de 1,4 million de km, il faudrait multiplier la distance Terre-Lune par 4 pour y arriver.

Le Soleil est une super-méga-pompe à hydrogène

Le Soleil est assez massif : il représente à lui tout
seul plus de 99 % de la masse du système solaire.
C'est une super-maxi-bombe, composée de 92%
d'hydrogène, et qui fonctionne en continu, chaque
seconde, toute l'année. La chaleur qu'il dégage
est quelque peu atténuée par la distance :
il se trouve à environ 150 millions de km
de la Terre. Chaque seconde, un peu plus de
4 millions de tonnes de matière sont consommées.

Chaque seconde, le Soleil dégage

l'énergie de l'explosion

de 100 millions de milliards

de tonnes de TNT :

10 000 milliards de bombes d'Hiroshima

Le bonheur croît avec l'âge,
jusqu'à environ 65-70 ans.

Les enquêtes établissent que le sentiment de bien-être décroît jusqu'à la quarantaine, puis il remonte pour atteindre son apogée entre 65 et 70 ans. À partir de 60 ans, on a révisé ses attentes, acquis expérience et sagesse. Au-delà de 70 ans, les choses se dégradent du fait de la perte du conjoint, ou d'un proche, ou de problèmes de santé.

Ainsi, la courbe du bonheur est décalée par rapport au pic du revenu (vers 45 ans). L'argent contribue au bonheur, mais ne fait pas tout.

40 pour 100 000 :

le taux de suicide
masculin culmine dans
la tranche des 45-54 ans.
Il est le double de celui
des 25-34 ans, mais
équivalent à celui
des 65-74 ans.

Que nous ayons la carte sous les yeux ou non, notre perception des distances entre deux points est déformée, notamment si une mer se trouve entre les deux.

Ce facteur joue à plein pour la perception de la distance de Paris à Alger (1 350 km), artificiellement exagérée par rapport à celle, par exemple, de Paris à Lisbonne.

LA DISTANCE PARIS-ALGER EST INFÉRIEURE DE 100 KM À PARIS-LISBONNE.

Autre facteur : la configuration géométrique du pays. L'Italie, tout en longueur, semble plus longue que des pays aussi grands dans le sens nord-sud, mais « plus carrés ». Ainsi Paris-Naples (1 290 km) paraît plus long que Paris-Lisbonne (1 450 km).

L'usage du Viagra a des effets secondaires inattendus. Certaines épouses comptent le nombre de pilules emportées par leur mari en voyage d'affaires... et celui qu'ils rapportent au retour. Elles peuvent ainsi demander le divorce avec dommages et intérêts, et gagner leur procès, avec ces preuves à l'appui.

Aux États-Unis, un divorce sur 15 serait lié au Viagra.

À la naissance, un éléphanteau pèse 120 kg.
Adulte, il atteindra facilement 5 tonnes.

Cependant, les pattes de l'éléphant sont
larges, avec une base bien évasée. Au total,
leur surface est de près d'un mètre carré.
La pression sur le sol n'est que de 600 g/m^2.
Comparons-la à celle qu'exerce un homme
de 100 kg, assis sur une chaise à quatre pieds
de 3 cm sur 2 cm. Cet homme appuie, sur
le sol, 25 kg par pied de chaise de 6 cm^2, soit
4 kg/cm^2 : sept fois plus que le pachyderme.

Un éléphant écrase
7 fois moins le sol qu'un homme
de 100 kg assis sur une chaise.

Seules 6 espèces d'animaux se reconnaissent dans un miroir.

Faites une marque sur le front d'un animal. Présentez-lui un miroir. S'il porte une patte à son front, ou fait une tentative similaire, c'est qu'il s'est reconnu : il voit l'image comme un reflet de lui-même.

Rares sont les animaux qui réussissent le « test du miroir » de Gallup : l'éléphant porte la trompe à son front, la plupart des grands singes (chimpanzés, bonobos, orangs-outans) réagissent, ainsi que les dauphins et les corbeaux. Les pies attaquent leur reflet, mais finissent par se rendre compte que ce n'est pas un congénère.

51 % DES FRANÇAIS POSSÈDENT
AU MOINS UN ANIMAL DE COMPAGNIE.
CE TAUX ÉLEVÉ S'EXPLIQUE PAR LE NOMBRE
IMPORTANT D'ENFANTS À L'ÂGE DE L'ÉCOLE
PRIMAIRE ET PROPRIÉTAIRES D'ANIMAUX.

EN EUROPE, LA FRANCE EST LE PAYS QUI NOURRIT
LE PLUS D'ANIMAUX FAMILIERS DE COMPAGNIE :

16 MILLIONS
DE CHIENS ET DE CHATS,
3 MILLIONS DE POISSONS ROUGES EN BOCAL,
2 MILLIONS D'OISEAUX EN CAGE,
1,5 MILLION DE RONGEURS (HAMSTERS, COCHONS
D'INDE, LAPINS), REPTILES EN TOUS GENRES,
DU LÉZARD AU CROCODILE...

L'IRLANDE EST CHAMPIONNE D'EUROPE DU NOMBRE DE CHIENS PAR HABITANT.

POUR CE QUI EST DES CHATS, C'EST LA BELGIQUE QUI ARRIVE EN TÊTE.

Le budget moyen alloué
par les ménages
à l'automobile
est semblable en France
et en Allemagne :
près de 9 000 euros par an.

En 1903, les 125 salariés de Ford fabriquaient chacun un peu plus d'une voiture par mois. Ford avait doublé les salaires de ses ouvriers, pour créer une classe moyenne capable d'acheter ses voitures. Ils étaient payés 5 dollars par jour.

Le modèle unique, la Ford T, née en 1909, se vendit à 500 000 exemplaires en 1915. Son prix était alors de 550 dollars.

Le prix d'une Ford était de 550 dollars en 1915, il a été multiplié par 40 en un siècle.

Un siècle plus tard, en 2009, Ford compte 300 000 salariés, qui fabriquent chacun, en moyenne, 2 autos par mois. Total : 6,5 millions de voitures par an. Le prix d'une Ford Mondeo est de 20 000 $, quarante fois plus que la Ford T de 1915. Le salaire des ouvriers est de 150 $/jour, trente fois plus qu'il y a un siècle.

En 1950, les maires de France ont uni 331 000 couples.
Une soixantaine d'années plus tard, en 2008, leurs successeurs
en auront uni 260 000, un chiffre de 20 % inférieur.
Mais, rapporté à la population totale, passée dans le même
temps de 42 à 63 millions d'habitants, le nombre de mariages
par habitant est deux fois moindre.

EN FRANCE, ON SE MARIE DEUX FOIS MOINS QU'EN 1950.

Ce taux de nuptialité décroît de 3 % par an et, en 60 ans,
l'âge du premier mariage est passé de 26 à 31 ans pour
les hommes et de 23 à 29 ans pour les femmes.

Les Finlandaises sont les premières femmes en Europe à avoir obtenu le droit de vote. C'était en 1906.

Le droit de vote des femmes s'est ensuite diffusé du nord vers le sud. Les Finlandaises ont été suivies par les Danoises, en 1915, puis par les Allemandes et les Britanniques, en 1918. En 1919, c'était le tour des Suédoises, des Autrichiennes, des Néerlandaises et des Luxembourgeoises.

Le Sud et plus largement les pays catholiques prirent leur temps : les Espagnoles obtinrent le droit de vote en 1931, les Françaises en 1944, les Italiennes en 1945, les Belges en 1948.

LES CADRES SUPÉRIEURS DU SECTEUR PRIVÉ ET CEUX QUI EXERCENT DES PROFESSIONS LIBÉRALES SONT PLUS GRANDS QUE LES OUVRIERS.

Dans les armées royales, il fallait être grand pour devenir officier. Police et gendarmerie imposent encore une taille minimum.

Dans le secteur privé, la taille joue un rôle, à tous les échelons : les ouvriers plus grands accèdent à des responsabilités plus importantes que les autres. C'est vrai aussi des cadres moyens, des agents de maîtrise : si on évacue le diplôme, l'âge, la région... bref, tous éléments perturbateurs, la taille est un facteur discriminant.

DANS LA FONCTION PUBLIQUE CLASSIQUE, OÙ LE RECRUTEMENT S'EFFECTUE SUR ÉPREUVES ÉCRITES ANONYMES, LA TAILLE NE JOUE AUCUN RÔLE.

Les hommes de 30 à 39 ans mesurant moins de 1,70 m vivent en couple à 60 %, contre 76 % des hommes du même âge dont la taille dépasse 1,70 m. **Les grands vivent plus souvent en couple que les petits.**

Au-delà de 40 ans, cet écart se réduit : les moins grands rattrapent progressivement le taux (inchangé) des hommes plus grands. Et à partir de 60 ans, les écarts sont quasi nuls.

En 30 ans, en France,
entre 1970 et 2001,
les hommes de 20 à 29 ans
ont gagné 4,5 cm.
Leur taille moyenne
a atteint 1,77 m.

Les femmes ont gagné
3 cm en moyenne, atteignant
une taille de 1,65 m.

Les Hollandais dépassent les Portugais de 10 cm en moyenne.

Taille moyenne de quelques Européens

Hollandais : 1,81 m.
Suédois, Tchèques, Autrichiens, Danois, Croates : 1,79 m
Allemands : 1,78 m
Luxembourgeois, Baltes, Slovaques Finlandais, Britanniques, Slovènes : 1,77 m
Français, Polonais, Hongrois, Belges : 1,76 m
Espagnols, Turcs : 1,73 m
Bulgares, Portugais : 1,71 m.

En Europe, et même à l'intérieur du territoire français, hommes et femmes sont plus grands au nord qu'au sud.

La concurrence pour l'exploitation des ouvriers est rude :
en Chine, le salaire horaire moyen d'un ouvrier dans l'industrie textile va de 0,55 dollar à l'intérieur du pays à 0,85 dollar sur la côte. En Inde, il s'établit à 0,69 dollar, au Vietnam à 0,47 dollar et au Pakistan à 0,42 dollar.

L'étalement urbain frappe toute la France :
les logements neufs y sont construits
de plus en plus loin des centres-ville.
Ainsi, à Bordeaux, en moins de vingt ans,
la distance moyenne entre le centre-ville
et les logements neufs a doublé.
Pour les immeubles, elle est passée
de 5 km à 11 km. Cette distance a triplé
à Toulouse, passant de 3,7 à 11 km.
En région parisienne, les records sont battus.
En moyenne, les logements neufs se construisent
aujourd'hui à 24 km de Notre-Dame de Paris.

Le PIB de la Chine,

fort d'une croissance de 8 à 10 % par an, a dépassé celui de la France, puis de la Grande-Bretagne, de l'Allemagne et du Japon. Comment la crise bousculera-t-elle le classement ?

Si l'on additionne les PIB de tous les pays qui la composent, l'Union européenne a le premier PIB du monde, devant les États-Unis.

300 000 BÉBÉS CHINOIS

sont tombés malades

après avoir bu du lait contaminé

à la mélamine en 2008.

Officiellement, 6 en sont morts,

et 160 sont dans un état grave.

Chaque semaine,
la France diagnostique
120 nouveaux cas
de séropositivité VIH.

La moitié résultent
de contaminations
lors de rapports
hétérosexuels.

Chaque semaine, sur 20 nouveaux cas de Sida diagnostiqués en France, près de la moitié (46 %) ignoraient leur séropositivité.

**Depuis octobre 2008,
la municipalité de Washington D.C. veut faire
concurrence à la rue,
où les enfants gagnent
de l'argent en trafics :**

3 000 COLLÉGIENS

peuvent recevoir jusqu'à

100 DOLLARS

DE PRIME MENSUELLE

**s'ils arrivent le matin à l'heure,
s'ils font leurs devoirs
et s'ils obtiennent de bonnes notes.**

D'ici **30** ans, un très violent séisme

à San Francisco est probable à **99** %.

Ce tremblement de terre majeur a déjà un nom :

The Big Shake Out, la grande secousse.

Des simulations sont effectuées en grandeur nature,

pour préparer la population. On anticipe une

secousse d'une magnitude d'environ **7,8** sur

l'échelle de Richter : les projections sont de près de

2 000 morts et **50 000** blessés,

malgré toute la préparation actuelle.

En **1906,** un séisme de cette violence,

à San Francisco, a déclenché un incendie gigantesque

qui a détruit la ville et fait **3 000** morts.

Le Capitole, qui se dresse au centre de la ville de Washington D.C., équivalent de notre Palais-Bourbon, fut construit par des esclaves noirs.

George Washington, le premier président des États-Unis, possédait 124 esclaves, à la fin de sa vie.

George Washington lui-même possédait plusieurs dizaines d'esclaves. Il résidait habituellement à Philadelphie, terre de Quakers. Cette ville du Nord, d'esprit précurseur, accordait la liberté aux esclaves qui y restaient plus de six mois. Washington avait trouvé la parade : il faisait discrètement sortir ses esclaves tous les six mois, avant de les faire rentrer officiellement. Il fit libérer ses 124 esclaves à sa mort.

Il y a deut fois trop de salles de repos au Pentagone.

En effet, le bâtiment a été construit en 1943,
en un temps où, en Virginie, s'appliquaient
encore les lois raciales prévoyant la ségrégation
entre les Blancs et les Noirs.

Les Américains ont inventé la guerre « zéro mort », mais récemment...

En 1914, les généraux français et allemands pouvaient envoyer de 1 000 à 15 000 soldats se faire tuer chaque jour.

Les mitrailleuses, arme nouvelle, fauchaient efficacement les vies à chaque « sortie ».

D'autres soldats – des morts en sursis – devaient remplacer les précédents. Ceux, rares, qui refusaient de se battre, pacifistes ou démoralisés, étaient condamnés.

Entre 1915 et 1918, la France fusilla ainsi 600 de ses propres soldats, qui refusaient le massacre des tranchées.

Ils n'ont jamais été réhabilités.

SONDAGES DE COMPTOIR

Pendant la campagne présidentielle aux États-Unis, en 2008, des chaînes de fast-foods décoraient leurs **GOBELETS DE CAFÉ** à l'effigie des candidats McCain et Obama, et comptaient ceux que les clients choisissaient. Obama était toujours majoritaire, remportant jusqu'à **60 % DES « SUFFRAGES »** deux semaines avant l'élection.

En France,

le nombre de centenaires

est passé de 1 000

à 20 000

entre 1960 et 2008.

En 1900, on comptait quelques dizaines
de centenaires, en France : de vraies
raretés. On estime qu'ils pourraient être
plus de 60 000 dans quarante ans.

Ils vivent à cheval sur trois siècles…

L'égalité des sexes n'est pas respectée
chez les centenaires, mais, pour
une fois, c'est au profit des femmes :
au-delà de 100 ans, il ne reste
qu'un homme pour 7 femmes ;
et au-delà de 104 ans, il ne reste
plus qu'un homme pour 10 femmes.

D'après une enquête
menée aux États-Unis,
UN QUART
DES CENTENAIRES
souffriraient
de dépression.

YAHOO !

GOOGLE

YOUTUBE

WINDOWS

LIVE

Les 9 sites Internet les plus fréquentés de la planète :

FACEBOOK

MSN

MYSPACE

WIKIPEDIA

BLOGGER

Deux sites Internet américains de vente à distance,

ebay et Amazon,

font partie des

30 sites

les plus

fréquentés

au monde.

Youporn,
un site américain
qui s'inspire de Youtube
pour diffuser des
vidéos X, s'est classé
parmi les
50 sites
les plus
fréquentés
au monde.

Wikipedia,
un des 10 sites les plus visités au monde, vit avec un budget de 5 millions d'euros par an.

L'entreprise comptait seulement 23 salariés en 2008, et s'appuie sur une fondation à but non lucratif. Environ 150 000 bénévoles ont rédigé en moyenne 60 articles chacun : le résultat est la plus grande encyclopédie vivante mondiale : plus de 11 millions d'articles, disponibles dans 265 langues.

Google, qui a fêté ses 10 ans en 2008, valait 100 milliards de dollars au début 2009… 50 fois plus que Ford ou General Motors.

Reste à rattraper Microsoft, coté à 180 milliards de dollars.

Chaque épidémie de grippe cause
36 000 décès en moyenne aux États-Unis.
Il faut détecter rapidement la diffusion
de ce fléau pour lui faire face. Les systèmes
de surveillance s'appuient
sur les informations transmises
par les médecins.
Mais Google Trends, l'outil
mesurant la popularité des mots
recherchés, va plus vite.
En couplant l'adresse géographique
des ordinateurs qui consultent
le moteur et un choix de mots en rapport
avec la grippe – « thermomètre », « douleurs
musculaires », « symptômes de la grippe »...
la fréquence des recherches apparaît
et se distribue sur la carte. On détermine
ainsi l'étendue de l'épidémie avec 8 jours
d'avance sur les données officielles.

Pour détecter la grippe plus vite que les médecins, demandez à Google et gagnez 8 jours.

Le pétrole et les supermarchés **restent les valeurs clés du début du XXIe siècle.** Début 2009, les deux plus grosses capitalisations boursières au monde étaient **le pétrolier** Exxon-Mobil, 400 milliards de dollars **en Bourse,** et **la chaîne de supermarchés** Wal-Mart, 220 milliards de dollars. Puis venaient Microsoft et Google. À titre de comparaison, Renault valait 5 milliards de dollars en Bourse.

Pour estimer la valeur d'une entreprise, multipliez ses profits annuels par 15.

Selon les périodes et les activités, le multiplicateur à appliquer aux bénéfices d'une entreprise pour obtenir sa valeur varie…

Exxon, la première valeur boursière mondiale, réalise environ 40 milliards de dollars de bénéfices, un dixième de sa cotation en bourse.

Mais comment expliquer que Facebook, par exemple, puisse valoir 500 fois ses bénéfices ?

On table pour l'entreprise sur un avenir radieux, et l'on capitalise des profits à venir… La valeur de certaines start-up est un pari.

10 % *des hommes sont stériles,* **mais la France manque de donneurs de sperme.** Un couple dont l'homme est stérile peut trouver la solution *via* le don de sperme, gratuit et anonyme en France. Mais la pénurie de donneurs est telle que les délais d'attente atteignent deux ans. Ainsi, en Bourgogne, où la situation est particulièrement tendue, 5 hommes seulement se sont présentés pour donner leur sperme en 2008, alors que 50 couples sont en attente. Sur près de 350 donneurs volontaires par an en France, seuls 250 environ remplissent tous les critères (âge, santé...) pour aller jusqu'au don.

Un peu plus de 1 000 bébés naissent chaque année en France grâce à un don de sperme.

Le don de sperme est rémunéré aux États-Unis. À environ

50 dollars

le don standard, les candidats ne manquent pas.

Le don anonyme et gratuit présente des garanties d'éthique, mais il induit une pénurie. Aux États-Unis, la rémunération est autorisée. Des catalogues de donneurs existent, y compris sur Internet. Le couple demandeur peut donc choisir le père rêvé : plutôt sportif ou scientifique, plutôt homme d'affaires, mannequin ?

LE DON D'OVULE EST PAYÉ
3 000 dollars AUX ÉTATS-UNIS,
ET 250 EUROS EN ROUMANIE.

Dans ces deux pays, le don d'ovule est payé
l'équivalent d'un mois de salaire. On n'y constate
pas de pénurie, contrairement à la France
ou à la Grande-Bretagne, où le don est gratuit.

Les femmes britanniques qui désirent
bénéficier d'un don d'ovule doivent attendre

UNE CLINIQUE
ROUMAINE RECUEILLE
À ELLE SEULE
AUTANT DE DONS
D'OVULES QUE TOUT
LE ROYAUME-UNI.

7 ans en moyenne.
Certaines finissent par
se rendre en Roumanie.

Dans un millilitre d'eau de mer, on trouve un million de bactéries...

Le plancton océanique est le premier maillon de la chaîne alimentaire marine. Cette soupe océanique est un monde surpeuplé. On y trouve des bactéries, mais aussi des virus qui s'y attaquent en masse : comme dans l'Antiquité grecque, quand les Perses attaquaient Athènes à vingt contre un, le champ de bataille comporte un million de bactéries

... et 10 à 100 millions de particules virales.

À Paris, le nombre de cyclistes tués dans des accidents a explosé depuis la mise en place des Vélib', en juillet 2007.

On est passé de 1,4 (moyenne sur les dix années précédentes) à 5 morts par an.

Dans une ruche, la reine peut donner vie, à elle seule, à 2 millions d'abeilles.

La durée de vie d'une reine est de 5 ans. Son rôle est de pondre. Elle ne sort jamais, sauf pour se faire féconder, ou quand elle quitte la ruche pour essaimer. Dans les dix jours qui suivent sa naissance, elle est fécondée par une dizaine de mâles, qui perdent la vie dans les heures qui suivent. La reine stocke à vie, dans sa spermathèque, les 5 à 6 millions de spermatozoïdes qu'elle a recueillis, et qui seront fécondés, à raison de 1 500 par jour, pendant 4 ans.

Tout au long de sa vie, la reine pond des œufs,
qui deviennent des larves avant de se transformer
en insectes adultes. Une larve issue d'un œuf fécondé
donne une abeille femelle ; une larve issue d'un œuf
non fécondé donne une abeille mâle.
Dans la ruche, les mâles ne servent que pendant
la période de reproduction. Ils sont incapables
de se nourrir seuls : ils ont besoin des ouvrières pour
se nourrir. Ces dernières les mettent dehors vers la fin
de l'été : en dehors de la phase de reproduction, point
de bouches inutiles à nourrir !

Une ruche ne contient pas plus de 5 % d'abeilles mâles.

Le nombre d'obèses français a quasiment doublé depuis 1980, et atteint 11 % de la population adulte.

*13 % des espagnols
et 20 % des allemands
sont obèses.*

il y a
33 % d'obèses
aux états-unis,
contre 3 % au japon.

Le profil

en france, 19 % des personnes
au revenu inférieur
à 900 euros par mois sont
obèses. il n'y a que 6 %
d'obèses chez ceux qui gagnent
plus de 3 800 euros par mois.

des obèses

il y a deux fois moins d'obèses
chez les cadres supérieurs (5,5 %)
que chez les employés et
les artisans (11 %), eux-mêmes
dépassés par les ouvriers (13 %)
et les agriculteurs (16 %).

EN EUROPE,

LA FAMILLE NUCLÉAIRE

EXISTAIT DÉJÀ

5 000 ANS AVANT J.-C.,

D'APRÈS UNE DÉCOUVERTE

ARCHÉOLOGIQUE RÉCENTE.

En France,

1 ENFANT SUR 4
VIT AVEC UN SEUL
DE SES PARENTS.

DANS 85 % DES CAS IL VIT AVEC SA MÈRE,

DANS 9 % DES CAS AVEC SON PÈRE,

ET HORS FOYER DANS 6 % DES CAS.

**Dans 50 %
des divorces
de couples avec
des enfants,
ces derniers ont
moins de 7 ans.**

EN FRANCE,
20 000 DIVORCES
ONT ÉTÉ PRONONCÉS
EN 1910.
LE CHIFFRE A DOUBLÉ
POUR PASSER À
40 000 DIVORCES EN 1970.
CE CHIFFRE A EXPLOSÉ,
IL EST AUJOURD'HUI DE
300 000 DIVORCES PAR AN.

Au bout de dix ans,
20 % des mariages
sont rompus.

Au bout de quinze ans,
c'est 25 % des mariages
qui sont rompus.

Après vingt ans,
le tiers des
mariages.

Cette tendance est encore plus
marquée chez les couples citadins.

Les élections prud'homales
coûtent 90 millions d'euros.
Le taux d'abstention progresse
à chaque scrutin, pour passer
de 2/3 des salariés inscrits, en 1997,
à 3/4 des inscrits en 2008.
À ce rythme, le taux d'abstention
atteindrait 100 % dans 30 ans.

La Chine

est devenue en septembre 2008 le premier créancier des États-Unis, avec 600 milliards de dollars de bons du Trésor américain, devant le Japon, qui en détient pour 570 milliards de dollars.

En Chine, le chiffre 8 est associé à la bonne fortune. C'est pour cette raison que les Jeux olympiques de Pékin se sont ouverts le 8/08/2008, à 8 heures du soir et 8 minutes. C'est aussi pourquoi l'on craint des troubles sociaux si la croissance économique tombe sous la barre des 8 %.

Si on supprimait la publicité
dans les magazines,
il faudrait multiplier
leur prix de vente par 3.
Le prix déboursé par
le lecteur ne représente que
le tiers des revenus du magazine,
qui reçoit de la publicité
l'essentiel de ses revenus.

Pour recruter un nouvel abonné, un magazine dépense entre 50 et 100 euros de mailings, tout compris (achats de fichiers, relances, cadeaux…).

Les sites Internet des magazines attirent des lecteurs et peuvent motiver l'abonnement au magazine papier : ce type de recrutement divise les frais par 10.

COMPARÉ À L'ÉVOLUTION DU SMIC, LE PRIX DU GAZOLE N'A PAS AUGMENTÉ EN 25 ANS.

LE PRIX D'UN LITRE DE CARBURANT DIESEL ÉQUIVAUT À 9 MINUTES DE SMIC, CONTRE 10 MINUTES EN 1980.

FAIRE SON PLEIN DEMANDE MOINS DE TRAVAIL QU'IL Y A 25 ANS.

Le numéro
de téléphone national
destiné aux femmes
victimes de violences
reçoit en moyenne
UN APPEL
TOUTES LES
CINQ MINUTES.

L'Allemand moyen est le plus gros mangeur de bananes en Europe. Il en absorbe plus d'un kg par mois : 14 kg par an, contre 8 kg par an pour le Français moyen.

L'Inde
est le plus gros producteur
de bananes au monde, mais
toutes ses bananes sont
consommées sur place.

L'Afrique est menacée par l'extension
des zones désertiques, conséquence
du réchauffement climatique.
Le continent risque d'être une des victimes
majeures de ce bouleversement, auquel
il ne contribue pratiquement pas :

l'Afrique produit
3 % des émissions
mondiales
de CO_2.

Sur la planète, les inondations majeures
sont chaque année plus nombreuses.

Leur fréquence a triplé en moins de vingt ans :
60 inondations majeures en 1990,
près de 200 en 2007,
affectant 180 millions de personnes
et provoquant des dégâts estimés
à 12 milliards d'euros.

Le réchauffement climatique, qui modifie le
régime des pluies, en est la cause principale.
Mais il faut ajouter d'autres raisons : le
ruissellement de l'eau en surface est accentué
par le bétonnage des sols, la déforestation
et l'intensification de l'agriculture, qui freinent
l'absorption de l'eau par le sol.

Comme les Français, les Françaises achètent, en moyenne,

5 slips par an.

Mais les dames y ajoutent des soutiens-gorge, et dépensent au total trois fois plus en lingerie que les hommes : 80 euros par an. Les plus dépensières, en la matière, sont les 15-24 ans.

Soit dit en passant,

4 % des femmes

(10 fois moins que d'hommes)
trouvent dans leur tiroir
des petites culottes qu'elles
n'ont pas achetées elles-mêmes.

Le producteur qui fait pousser un ananas de 2 kg sur l'île de La Réunion en tire 1,60 euro, **moins que le transporteur qui apporte l'ananas jusqu'en métropole, qui touche 4 euros.**

Le transport en France d'un kilogramme de haricots d'Espagne demande l'équivalent de 0,25 litre de pétrole.

Pour un kilogramme de haricots du Kenya consommé en France, comptez 2 litres de pétrole.

Plus de la moitié des logements français ont moins de 30 ans.

La France s'est reconstruite après 1945, et ça continue : 16 millions de logements, en France, ont été construits après 1978, sur les 30 millions qui abritent les 63 millions de Français.

En France, 2 personnes par semaine meurent électrocutées, chez elles, par accident.

20 % des installations électriques des logements français présentent des risques.

Une installation électrique sur 15 est jugée particulièrement dangereuse.

**OUVRIR
UN EMBALLAGE RÉCALCITRANT
EST UNE ACTIVITÉ À RISQUE
qui envoie un blessé à l'hôpital
chaque demi-heure, aux États-Unis :
chaque année, on y compte
6 000 blessés par la folie
des emballages.**

En France, un retraité perçoit aujourd'hui 72 % de son ancien salaire, mais ce niveau tombera à 65 % dans dix ans, et à 59 % dans 40 ans. Les conditions pour toucher une retraite à taux plein vont se durcir, *via* l'allongement des cotisations. Le nombre de ceux qui rempliront toutes les conditions va baisser. Cette chute affectera plus encore les femmes que les hommes. Déjà, aujourd'hui, seules 40 % des femmes retraitées ont pu valider les 37,5 années de cotisation requises, contre 85 % des hommes.

À chaque heure ouvrable,
il se vend dans le monde
2 millions de cartes à puce.

Cette invention française

de trente ans d'âge équipe

téléphones portables,

cartes bancaires, cartes Vitale,

pass Navigo ou Vélib',

badges d'entreprise, jusqu'aux

badges de sécurité de la Maison-Blanche,

et aux cartes d'identité de certains pays.

En décembre 2008,
l'histoire des souris d'ordinateur
a franchi un cap symbolique : le fabricant
suisse Logitech, n° 1 mondial du secteur,
a fabriqué sa milliardième souris, après 40 ans
d'activité. Le deuxième milliard devrait être
atteint dans 5 ans, alors que le premier million
avait été atteint en 1988 (au bout de trente
ans) et les premiers 500 millions en 2003,
quinze ans plus tard.

En 1562 – soixante ans après la découverte de l'Amérique –, tous les livres mayas, ou presque, ont été détruits, dans un grand bûcher sacrificiel.

3 livres mayas

en tout et pour tout ont échappé à l'autodafé. L'écriture maya visible sur les monuments encore debout reste un casse-tête pour ceux qui tentent de la déchiffrer.

Le colonialisme économique change de forme : **Madagascar vient de concéder à la Corée du Sud l'exploitation de 1,3 million d'hectares pour produire... ce qu'elle veut.** Le contrat prévoit que la République de Madagascar met à disposition de la Corée du Sud un territoire d'environ 40 km de côté. La production agricole prévue par les Coréens est de l'ordre de 4 millions de tonnes de maïs.

L'Arabie Saoudite vient de se voir proposer un million d'hectares par les représentants de la Nouvelle-Guinée-Papouasie, moyennant quelques investissements dans les infrastructures du pays et des miettes d'agriculture vivrière pour les populations locales.

Le Brésil a, lui, déjà concédé 5 millions d'hectares à l'étranger depuis l'an 2000.

L'échographie, qui permet à une femme enceinte de connaître assez tôt le sexe de l'enfant à naître, a des effets inattendus en Chine. La politique de l'enfant unique menée depuis 1980 se conjugue à la faiblesse des systèmes de retraite pour pousser les parents à privilégier le sexe masculin. Selon la tradition, c'est le fils qui s'occupe de ses parents âgés. Dans les années qui viennent, le déficit de filles va condamner des millions de garçons au célibat ou à l'exil.

Il naît 105 bébés garçons pour 100 bébés filles, en moyenne, sur la planète. Mais en Chine, depuis 30 ans, il naît 115 garçons pour 100 filles.

Plus de 40 % des plaintes sur les produits de grande consommation concernent la vente à distance, principalement pour non-livraison ou non-respect du remboursement. Le boom des ventes sur Internet y contribue largement. Chaque jour, 500 plaintes sont ainsi déposées par des consommateurs qui s'estiment trompés.

Qui dit

Jérôme Kerviel a battu en janvier 2008
le record du monde des pertes induites
par des manipulations financières non autorisées
ou illégales. Son record, établi à 5 milliards
d'euros, n'a même pas tenu un an.

*L'inflation, à ce sport, est vertigineuse. Songez qu'en février
1995, Nick Leeson, trader basé à Singapour, s'était rendu
célèbre en provoquant la faillite de la banque Barings,
avec des pertes de 1,2 milliard de dollars seulement.*

mieux  ?

Le nouveau record est de 50 milliards
de dollars. Il est détenu par le septuagénaire
Bernard Madoff. Ce courtier de légende,
qui avait démarré comme maître-nageur
sur les plages de Long Island, risque de passer
les 20 prochaines années de sa vie dans
une cellule de 4 mètres de long.

En dix ans, entre 1998
et 2008, les fonds spéculatifs,
dits « hedge funds »,
ont multiplié par 5
les montants qu'ils géraient,
passant de 500 millions
de dollars d'actifs
à 2 500 milliards de dollars.
Près de 40 % d'entre eux
étaient domiciliés aux
Îles Caïman et 20 %
se répartissaient entre
les Bermudes, les Îles Vierges
britanniques et les Bahamas.

Le Père Noël

reçoit chaque année 1 400 000 lettres,
qui sont re-routées vers le centre
de La Poste de Libourne, près de Bordeaux.

Un service spécialisé traite ces lettres qui
proviennent de 130 pays différents. Il est le seul, de
tous les services de la Poste, qui soit autorisé à
ouvrir les lettres. Soixante personnes sont recrutées
pour répondre aux lettres, qui sont écrites par une grande majorité d'enfants, mais aussi par des adultes.

**En 1962, le Père Noël recrutait une secrétaire pour répondre aux lettres des enfants.
En fait, le ministre chargé des Postes recruta sa propre sœur, Françoise Dolto.**

Le journal gratuit 20 minutes, diffusé à 800 000 exemplaires chaque jour dans 19 grandes villes, est devenu le premier quotidien français. Il devance largement L'Équipe, diffusé à 350 000 exemplaires, ainsi que Le Figaro et Le Monde, diffusés à 320 000 exemplaires.

Le 13 février 2008, la première interview de Carla Bruni-Sarkozy, la nouvelle « première dame » de France était publiée dans le magazine L'Express. Ce numéro s'est vendu à 600 000 exemplaires, dont plus de 200 000 en kiosques. Les meilleures ventes de l'histoire du magazine.

La France fait partie des trois pays où l'on skie
le plus au monde, avec les États-Unis et l'Autriche.
On dénombre entre 55 et 60 millions de journées
de ski par an dans chacun de ces trois pays.

CHAQUE FRANÇAIS SKIE UN JOUR PAR AN, EN MOYENNE.

SAUF QUE...
6 FRANÇAIS SUR 7
NE PARTENT PAS SKIER.

Les moyennes sont trompeuses : en réalité,
1 Français sur 7 part skier une semaine,
et les autres le regardent partir en montagne !

DANS LES MONTAGNES FRANÇAISES, L'ÉPAISSEUR DE LA COUCHE DE NEIGE A DIMINUÉ CHAQUE ANNÉE DE 1,5 CM, SUR LE DERNIER DEMI-SIÈCLE.

À 1 500 mètres d'altitude, sur la même période, la saison blanche s'est écourtée d'une demi-journée par an.

Les canons à neige compensent en partie le manque de neige naturelle. Ils équipent 1 piste sur 5, en France. En Autriche et en Italie, 40 % des pistes sont équipées de systèmes de neige artificielle.

L'Île-de-France accueille 40 % des immigrés qui vivent sur le territoire français. Ceux-ci sont, en proportion, trois fois plus nombreux en Île-de-France que dans les autres régions : ils comptent pour 20 % dans la population francilienne, et 6 % dans la population de province.

**AUX ÉTATS-UNIS,
LES BLANCS NON HISPANIQUES
NE SERONT PLUS MAJORITAIRES
DANS 30 ANS.**

LES ASIATIQUES REPRÉSENTERONT 9 % DE LA POPULATION
DU PAYS (CONTRE 5 % ACTUELLEMENT), **LES AFRICAINS-
AMÉRICAINS, 15 %,** LES HISPANIQUES, ORIGINAIRES
D'AMÉRIQUE LATINE, 30 % **(CONTRE 15 % ACTUELLEMENT).**

TOTAL DES « MINORITÉS » :
53 % DE LA POPULATION.

LES BLANCS NON HISPANIQUES REPRÉSENTENT
AUJOURD'HUI LES 2/3 DE LA POPULATION TOTALE, MAIS
SEULEMENT 55 % DES ENFANTS DE MOINS DE 5 ANS.

En 2007, les pays
où l'on se sentait le moins
heureux étaient
l'Ukraine, la Moldavie,
le Zimbabwe, et la Russie.
40 % des gens s'y déclaraient
heureux ou satisfaits de leur vie.

Juste au-dessus de ce fond du panier
se trouvaient, avec 50 % de gens
heureux ou satisfaits, la Roumanie,
la Bulgarie, la Géorgie (c'était avant
l'invasion de ce pays), l'Albanie,
la Biélorussie et le Pakistan.

Les pays les plus heureux en 2007 étaient les Pays-Bas et l'Irlande, où près de 95 % des gens se déclaraient heureux ou satisfaits de leur vie. (C'était avant la crise !)

Juste en dessous, avec 90 % de gens heureux ou satisfaits, se trouvaient le Canada, le Danemark, la Suisse, la Suède, la Finlande, la Norvège, les États-Unis, l'Autriche, Singapour. La France arrivait ensuite (85 %), devançant de peu l'Allemagne, l'Italie, et le Japon (80 %).

EN 2008,
L'AMATEUR DE BD
QUI AURAIT VOULU SUIVRE
TOUTE LA PRODUCTION
ÉDITORIALE FRANÇAISE
AURAIT DÛ ACHETER
— ET LIRE ! —
60 BD PAR
SEMAINE.

L'écart homme-femme afghan est un des plus marqués du monde. En témoignent les différences d'alphabétisation entre garçons et filles :

Le taux d'illettrisme des hommes afghans est de 57 %.
Il est de 86 % chez les Afghanes.

Le taux de scolarisation des filles afghanes en primaire a été évalué à 34 % en 2004. C'est peu, comparé à d'autres pays. Pourtant, il a quasiment triplé en 15 ans. Le taux de scolarisation féminin tombe à 9 % dans l'enseignement secondaire.

Les talibans y veillent : en novembre 2008 encore, 15 jeunes filles étaient aspergées de vitriol sur le chemin de l'école.

Les Chinois de nationalité han représentent 92 % de la population, mais n'occupent que 40 % du territoire chinois.

Les 1,2 milliard de Hans se serrent sur 40 % de l'espace. Autant que les trois principales minorités

Les 45 millions de « minoritaires » occupent autant d'espace que l'immense majorité.

reconnues, qui représentent 3 % de la population totale de la Chine. Les trois principales régions autonomes sont occupées par les Mongols (au nord), par les Tibétains (au sud-ouest) et par les Ouïgours (habitants musulmans à l'extrême nord-ouest chinois).

CHAQUE FRANÇAIS,
CHAQUE ALLEMAND,
CHAQUE ANGLAIS
ACHÈTE POUR PRÈS DE

DE VÊTEMENTS CHINOIS
PAR SEMAINE.

Les terroristes indépendantistes basques ont assassiné 824 personnes en 40 ans, soit 2 victimes par mois.

En moyenne, en France, chaque mois, 4 femmes meurent à la suite de violences conjugales.

LE PLUS GRAND BÂTIMENT D'EUROPE EST LE PALAIS DU PARLEMENT, EN ROUMANIE. C'EST LE DEUXIÈME PLUS GRAND BÂTIMENT DU MONDE APRÈS LE PENTAGONE.

LE PALAIS DU PARLEMENT DE BUCAREST TOTALISE 350 000 MÈTRES CARRÉS, RÉPARTIS SUR UNE SURFACE AU SOL DE PRÈS DE 400 M DE CÔTÉ ET UNE HAUTEUR DE 85 MÈTRES.

17 %

**LE TAUX DE PAUVRETÉ
CHEZ LES ROUMAINS
EST UN DES PLUS
ÉLEVÉS D'EUROPE.**

En France, la valeur énergétique des rations quotidiennes s'est réduite depuis l'après-guerre, passant de 2 500 calories à 2 000 pour les hommes et 1 900 pour les femmes.

Notre alimentation est

moins riche qu'en 1945.

Mais l'activité physique a diminué bien plus encore. De plus, notre nourriture comprend une part accrue de produits industriels. L'ensemble induit une prise de poids généralisée.

En 1960, l'alimentation représentait en France un tiers des dépenses des ménages.

Ce chiffre a été divisé par deux, depuis, laissant la place à de nouvelles consommations : automobile, loisirs, produits multimédia…

Moins de 15 % des automobilistes s'arrêtent pour prendre en stop une fille qui se présente avec un tee-shirt moulant une poitrine avec un soutien-gorge à bonnets **A**

22 % des automobilistes s'arrêtent si la même fille, dotée d'artifices pour les besoins de l'expérience, se présente avec un soutien-gorge à bonnets **C**

Dans une boîte de nuit, une fille debout, regardant les gens sur la piste de danse, est abordée 14 fois en une heure (toutes les 4 minutes : c'est la fin des chansons) si elle laisse deviner un bonnet C bien rembourré. Elle n'est abordée que 4 fois (une fois par quart d'heure) si elle abandonne ses artifices pour un soutien-gorge à bonnets A.

En boîte de nuit, le soutien-gorge à bonnets C triple les occasions de rencontres, par rapport au modèle à bonnets A.

LA FÉCONDITÉ HUMAINE A SPECTACULAIREMENT CHUTÉ AU XXᵉ SIÈCLE POUR ATTEINDRE UNE MOYENNE PLANÉTAIRE DE 2,7 ENFANTS PAR FEMME.

DE TRÈS RARES PAYS, COMME L'AFGHANISTAN, SE SITUENT ENCORE À 5 ENFANTS PAR FEMME. LE NOMBRE ÉLEVÉ D'ENFANTS PAR FEMME EST TRÈS FORTEMENT RELIÉ À UN FORT TAUX D'ANALPHABÉTISME FÉMININ.

AILLEURS, COMME EN PALESTINE, LA FÉCONDITÉ EST CONSIDÉRÉE COMME UN ENJEU DE LUTTE DÉMOGRAPHIQUE. LES PALESTINIENNES ONT, EN MOYENNE, 5,5 ENFANTS.

EN CISJORDANIE, LES ISRAÉLIENS SONT 4 FOIS MOINS NOMBREUX QUE LES PALESTINIENS. ILS OCCUPENT, AVEC 20 % DE LA POPULATION TOTALE, 40 % DU TERRITOIRE DISPUTÉ PAR LES BELLIGÉRANTS.

Le manque
de dynamisme
démographique
européen se fera
sentir d'ici 2020 :
le nombre de jeunes
de 16 à 29 ans en
Europe régressera de

10 %.

Le taux de fécondité japonais est inférieur au seuil de renouvellement (2,1) depuis 1960.

Au Japon, il est mal vu, pour une femme, de continuer à travailler si elle a des enfants. Pour ne pas s'enfermer à la maison, beaucoup de Japonaises renoncent à la maternité.

Aujourd'hui, le pays compte 130 millions d'habitants. Il pourrait tomber sous la barre des 100 millions en 2050.

*Plus du tiers
de la population mondiale
n'a pas accès à des toilettes
dignes de ce nom.*

**2,5 milliards d'humains
sont réduits à des latrines
sans garanties minimales
contre les maladies liées
à la prolifération de germes.**

1,2 milliard de personnes
n'ont pas de latrines du tout.
Une étude a montré que, chaque
jour, elles passent en moyenne
une demi-heure à trouver un endroit
isolé dans la nature pour déféquer
ou à rejoindre des toilettes publiques.

La moitié des lits d'hôpital
d'Afrique subsaharienne sont occupés
par des patients souffrant
de maladies liées aux germes fécaux.

Le cheval est un moyen de transport rapide, s'il est bien organisé en relais de poste. L'Empire romain avait déjà mis en place, pour les courriers officiels, un service à deux vitesses : cheval ou bœuf. Charles Quint mit en place un monopole européen à l'échelle de son empire – de l'Espagne à l'Allemagne. Son rival François Ier faisait exception au monopole : la France avait son propre service.

UNE LETTRE METTAIT 2 JOURS ET DEMI POUR ALLER DE PARIS À LYON, AVANT LA RÉVOLUTION.

Mais, même quand les deux souverains étaient en guerre, le droit de passage à travers la France fonctionna.

EN 1927, CHARLES LINDBERGH RELIAIT NEW YORK À PARIS. IL ÉTAIT LE PREMIER PILOTE D'AVION À TRAVERSER SEUL L'ATLANTIQUE. L'AMÉRICAIN FUT ACCUEILLI EN HÉROS À PARIS, APRÈS UN VOL DE 33 HEURES ET 30 MINUTES.

Aujourd'hui, pour relier Paris
et New York, il faut 8 heures
à un avion de ligne.
Avant l'arrêt des vols du Concorde,
en 2003, les voyageurs pressés
pouvaient faire le trajet en 3 h 30.

**La pression de l'homme
sur la planète a doublé en quarante ans,
et dépasse désormais les capacités
de renouvellement des ressources.**

Les chiffres de l'empreinte écologique additionnent
les surfaces productives nécessaires pour fournir
ce qu'un pays consomme et les surfaces nécessaires
pour absorber les déchets qu'il génère.

**Chaque Terrien
a besoin de
2,7 hectares
pour vivre.
La planète
ne peut lui en
offrir plus de 2,5.**

pour absorber les déchets
qu'il génère.

On estime que le Mexique,
l'Espagne, la Grande-
Bretagne, l'Allemagne, l'Italie,
l'Égypte, l'Inde, la Chine,
le Japon ont une empreinte
une fois et demie plus importante que ce que
la Terre est à même de mettre à leur disposition.